罗马与长安

中国历史的谎言与真相

凌沧洲 著

当代中国出版社
Contemporary China Publishing House

图书在版编目（CIP）数据

罗马与长安：中国历史的谎言与真相/凌沧洲著.
北京：当代中国出版社，2006.12
　ISBN 978 – 7 – 80170 – 545 – 7

　Ⅰ. 罗…　Ⅱ. 凌…　Ⅲ. 中国 – 历史 – 文集
Ⅳ. K207-53

中国版本图书馆 CIP 数据核字（2006）第 156115 号

出　版　人：周五一
责任编辑：宗　边　张　轶
特约编辑：刘文远
装帧设计：古　手
出版发行：当代中国出版社
地　　　址：北京市地安门西大街旌勇里 8 号
网　　　址：http：//www. ddzg. net　邮箱：ddzgcbs@ sina. com
邮政编码：100009
编 辑 部：(010) 66572152　66572154　66572155
市 场 部：(010) 66572157　66572281　66111785
印　　刷：北京高岭印刷有限公司
开　　本：670×1010 毫米　1/16
印　　张：16 印张　　120 千字
版　　次：2006 年 12 月第 1 版
印　　次：2006 年 12 月第 1 次印刷
定　　价：23.80 元

目录

目 录

前　言

　　这是一次文化历险的旅程，将穿透几千年历史的迷雾，在历史的河流上，打捞一个民族失落的勇气、信仰和自由。不久以前，这些故事还沉没在历史河底深处，现在，经由凌沧洲两年来的努力，奉献在各位的眼前，它就是《罗马与长安——中国历史的谎言与真相》。

　　你将会惊奇地发现许多"第一次"：

　　第一次，从文化、风俗、体制、法律、信仰等各方面比较罗马帝国与汉唐帝国的文明。

　　第一次，把定都长安的两个帝国命名为"长安帝国"。

　　第一次，提出权力者的"西门庆综合征"。

　　第一次，命名了"东方拜占庭"，比较了它与东罗马帝国的沦陷。

　　第一次，发现了中国的华莱士，以及他们所上演的中国版《勇敢的心》。

　　第一次，提出"言论英雄"的概念，探索了古中国的言论空间。

　　第一次，对文化影视作品美化清王朝的狂潮，大喝一

声："我来揭揭清朝统治者的画皮！"

第一次，以新闻人的视角、诗人的文采把历史的许多隐秘发掘出来。

你将会随着凌沧洲讲述的故事，体会到一种前所未有的快感。你将自豪，你将愤怒，你将沉思——因为书中人物的命运，无论他是英雄、恶魔，还是小丑。凌沧洲犀利辛辣的文风，将猛烈地冲击你的情感，震撼你的心灵。

13 世纪中后期，中国大地正经历着前所未有的变局，帝国将领和诗人有感于现实，回望历史，深情地写道："绝域张骞归来未？"

那是一个穿越茫茫大漠、不仅有着地理发现奇功而且勇气卓绝、信念坚定的英雄人物。

他已归来，他和古中国的英雄们已经归来，古中国的"言论英雄"们也已经归来，张骞、李广、陈汤、李固、刘陶、李膺、杜乔、范滂、张俭、文天祥、李芾、姜才、李庭芝、郑思肖、林景熙、黄培……我们的先辈，已经在凌沧洲的作品中归来……

"兴酣笔落摇五岳，诗成笑傲凌沧洲。"笑傲江湖的，岂止是凌沧洲的诗歌；你们将会发现：凌沧洲的大历史言说、大历史时评也将是重磅心灵炸弹！

凌沧洲
2006 年冬

文明的谱系

罗马，长安，谁更光芒万丈
东方拜占庭的陷落
他们在权力剃刀边缘行走
权力刀锋
罗马，长安，谁更残暴淫荡

罗马，长安，谁更光芒万丈

我希望历史能治愈病态的心灵，
至少提醒我们往昔的荣耀，
让我们意识到目前的堕落。
——狄特·李维
总为浮云能蔽日，长安不见使人愁。
——李白

末代君主和亡国令

一千多年前的春天，大唐帝国，这个人们心目中伟大的长安帝国生命之火即将熄灭。凌沧洲先生将定都长安的两个古中国王朝——汉朝和唐朝一并称之为长安帝国。这一重新命名，既是为了叙事方便，也是为了从一个不同的视角来看待中国历史。公元907年3月27日，长安帝国最后一个皇帝李柷下达诏令："那大统的尊严，神器的沉重，如果不是德行充盈于宇宙，功劳拯救了黎民，有虞舜夏禹的功业成绩，有和恰帝王事业的才能，可替代皇天的功劳，又怎么去统治天下，照耀八方呢！"

这时，帝国经历了安史之乱后一百余年异族的洗劫，终于走到了它生命的尽头。帝国的资源与古老遗产已经耗尽。曾经是黄巢部将后来又投降唐朝的将领朱温控制了朝廷和局面，劝进和篡位正在

紧锣密鼓地进行。百官对帝国不无留恋，当皇帝二月初五诏令文武百官初七一起赴元帅朱温府上时，百官拒绝了；尽管朱温假意推托，但是明白大势已去的皇帝不得不亲手终结了这个曾经煊赫几世纪、威震东方的王朝和帝国。

你可曾见到一个皇上拍臣子马屁的文章？

李柷的诏令是这样奉承梁王朱温这个暴君和独夫的："元帅梁王，有皇帝的面相，祥瑞的资质，具备非凡的才能，以英明的谋略和睿智的武功平定了寰宇，以宽厚的恩泽和深沉的仁义抚慰了华夏。神圣的功勋，伟大的品德，空前绝后……二十年的功业，亿万民众的推崇，近处没有不同意见，远方也无不同声音。……帝政不可以久空，天命不可以久违，神人同心，归向有德者。我虔敬地把天下禅让给圣君……我放下这沉重的包袱，永为客卿，能够侍奉新朝，我既欣然又安慰。"

这真是强颜欢笑，苦中作乐的典型案例。

莎士比亚描写过失去王位的国君的痛苦，理查三世是这样不情愿地把王冠交给篡位者的：

> 把王冠给我。这儿，贤弟，把王冠拿住了；这边是我的手，那边是你的手。现在这一顶黄金的宝冠就像一口深井，两个吊桶一上一下地向这井中汲水；那空的一桶总是在空中跳跃，满的一桶却在底下不给人瞧见；我就是那下面的吊桶，充满着泪水，在那儿饮泣吞声，你却在高空之中顾盼自雄。
>
> 我的眼睛里满是泪，我瞧不清这纸上的文字；可是眼泪并没有使我完全盲目，我还看得见这儿一群叛徒们的面貌。哦，要是我把我的眼睛转向着自己，我会发现自己也

是叛徒的同党，因为我曾经亲自答应把一个君王的庄严供人凌辱，造成这种尊卑倒置、主奴易位、君臣失序、朝野混淆的现象。……把镜子给我，我要借着它阅读我自己。还不曾有深一些的皱纹吗？悲哀把这许多打击加在我的脸上，却没有留下深刻的伤痕吗？啊，谄媚的镜子！正像在我荣盛的时候跟随我的那些人一样，你欺骗了我。这就是每天有一万个人托庇于他的广厦之下的那张脸吗？这就是像太阳一般使人不敢仰视的那张脸吗？这就是曾经"赏脸"给许多荒唐的愚行、最后却在波林勃洛克之前黯然失色的那张脸吗？一道脆弱的光辉闪耀在这脸上，这脸儿也正像不可恃的荣光一般脆弱，（以镜猛掷地上）瞧它经不起用力一掷，就碎成片片了。沉默的国王，注意这一场小小的游戏中所含的教训吧，瞧我的悲哀怎样在片刻之间毁灭了我的容颜。

帝国的王位仿佛是一场破碎的镜子游戏，只有从权力高空坠落的人才能感受到这种人生的极度幻灭。

理查三世和长安帝国的末代君王，在逊位时都有类似的愁苦，只是理查三世有诗人和戏剧家把他的痛苦描绘出来，而唐哀帝的悲哀只能从历史的遗迹中探查蛛丝马迹了。

一年之后，如同理查三世要被人毒死一样，李柷也没能逃过篡位者的毒手，最终还是被朱温谋杀。

这是 908 年春天，一个末代君王的死去，标志着一个强盛帝国的死亡，一个文明的衰败的开始。以后再要看长安帝国，就得到帝国伟大诗人李白、杜甫、白居易的诗篇中去看，到博物馆中去看。长安帝国后的宋朝和明朝，颇有点类似于西罗马帝国崩溃后的拜占庭帝国。

契丹人饮马图

　　长安帝国末代君王退位的 907 年，中国的北部边疆，一个少数民族正奇迹般地崛起，契丹人的首领耶律阿保机统一各部称王，在中国的地缘政治和文明格局中正式扮演逐鹿者的角色。自此以后，汉唐的强盛岁月不再，北方游牧民族的铁骑一再南下，直至吞没、征服并改变这个曾经辉煌的中原文明。

长安与罗马的权力与荣耀

　　当我们拂去一千年的历史尘埃，沿着历史汹涌的大河逆流而上时，我们看到了帝国权力与荣耀的时刻，它的文明的辉煌——经济的繁荣，胸怀的博大，文化的精美，军事的强盛……以及帝国臣民在其青年和壮年时代焕发出的活力和创造力，即使是像我这样一度对中国传统文化持强烈批判态度的人，也为此改变观念。

　　比起罗马帝国的民众喜爱看角斗场上奴隶、罪犯、蛮夷与野兽的厮杀，比起罗马的嗜血、贪婪与残暴，长安帝国的文化凸显出其人文关怀的一面，帝国的诗人们虽然也常作"护羌校尉朝乘障，破虏将军夜度辽"、"大漠风尘日色昏，红旗半卷出辕门。前军夜战洮河北，已报生擒吐谷浑”之类的豪语，但大多是反战主义者，看看李白的《战城南》、杜甫的《兵车行》、白居易的《新丰折臂翁》等作品就知道，帝国诗人对扩张领土、掠夺财富似乎并不感兴趣，“君不闻汉家山东二百州，千村万落生荆杞。纵有健妇把锄犁，禾生陇亩无东西……君不见青海头，古来白骨无人收。新鬼烦冤旧鬼哭，天阴雨湿声啾啾。”（杜甫《兵车行》）

无论我们的帝国诗人是歌颂帝国军队的伐边，还是以悲天悯人的同情心来谴责战争，长安帝国开疆拓土的冲力都势不可挡。这是帝国的壮年时代，活力无穷，在公元7世纪和8世纪，帝国的权力和荣耀如日中天。不断地扩展领土，不断地击败周边外族，不断地进行灭国之战。

630年，张宝相活捉突厥颉利可汗，长安帝国欢欣雀跃。

635年，李靖、侯君集等将领大破吐谷浑，捉住吐谷浑名王20人。

640年，侯君集平定高昌王国，活捉高昌国王。

641年，李勣大破薛延陀率领的同罗、仆固、回纥、靺鞨等联军。

644年，郭孝恪消灭了焉耆，活捉焉耆王突骑支。

645年，唐太宗李世民统领六军从洛阳出发东征高丽。农历4月，在幽州城，用酒肉款待六军。5月17日，皇帝亲率精锐骑兵与李勣会合包围辽东城，借助大风发火箭，待城上的房屋都烧光后，指挥战士登城，攻

李勣

克了辽东城。

648 年，王玄策打击帝那伏帝国，大破之，活捉其国王、王妃、王子等人，掳获一万两千人，牛马两万多匹送到长安宫阙。

同年闰 12 月，昆山道总管阿史那社尔攻破龟兹 50 个城池，活捉龟兹王。龟兹平定，西域震惊。第二年春正月初六，俘获的龟兹王和其大臣，被献到社庙以祭祀土神。

658 年，大将苏定方攻破西突厥沙钵罗可汗贺鲁的军队。贺鲁逃往石国，副将萧嗣业追上将其抓获，俘获贺鲁人畜共 40 多万。

660 年，苏定方向东讨伐平定百济，11 月，在则天门上献俘。

668 年，李勣攻破高丽，攻克平壤城，活捉高丽王和大臣多人回朝。高丽全境投降，投降城池 170 个，697 000 户，帝国将高丽之地设置为安东都护府，分别设置 42 个州。

679 ~ 681 年，帝国军队继续在西部征讨，裴行俭多次击败西突厥，仅 681 年 9 月，就在长安的街市上，斩杀了突厥首领阿史那伏念及其高官等 54 人。

帝国扩张的态势延至 8 世纪，729 年，帝国军队向南，攻克昆明城。（以上均出自《旧唐书》）

8 世纪后，在帝国经历了若干年的好运后，危机即将浮出水面。

751 年，帝国军队在南方遭遇挫败，鲜于仲通率兵 6 万讨伐云南，与云南王阁罗凤在泸水作战，帝国军队大败，死亡的人不计其数。"闻道云南有泸水，椒花落时瘴烟起。大军徒涉水如汤，未过十人二三死。村南村北哭声哀，儿别爷娘夫别妻。皆云前后征蛮者，千万人行无一回。"（白居易《新丰折臂翁》）

同时，帝国在西北部边疆，一样遭到强烈挫败。帝国将领高仙芝攻克石国（今塔什干）后，俘虏了国王与王子，但王子途中逃走。

中亚各国向阿拉伯帝国（黑衣大食）求援。751 年，阿拉伯军队与长安帝国的军队在怛罗斯遭遇，激战多日，高仙芝失败，损失士兵两万余人。

755 年，长安帝国迎来了它最大的厄运。11 月 11 日，深受帝国皇帝器重的范阳节度使安禄山起兵反叛，集合了蕃、汉之兵十余万人，从幽州一路南下，攻城掠地，直指长安，从内部给长安帝国捅上狠狠的一刀。

"玉环妖血无人扫，渔阳马厌长安草。潼关战骨高如山，万里君王蜀中老。"几百年后，仍有诗人张耒描写潼关之战的残酷。

安禄山反叛兵戈举（明刻）

755 年 11 月 11 日，这是伟大的长安帝国转折性的历史时刻，自此以后，帝国的态势由扩张变为防守，同时受到帝国内部反叛不断的困扰，直至它最后消亡。755 年的这一历史事件给中国这块土地上的各民族带来了权力格局的巨大变化，汉民族青壮年时代的权力与荣耀日渐衰落，长安帝国不再光芒万丈。

756 年，唐肃宗即位后改元至德。这年 10 月，唐肃宗命宰相房琯统兵收复长安、洛阳，在咸阳县东的陈陶一战溃败。当时，杜甫困陷长安，听到这个不幸的消息，看见安禄山部胜利归来的骄横情形，满腔悲愤。可以说杜甫就像个新闻记者，他用诗歌记录了陈陶之战的史实：

孟冬十郡良家子，血作陈陶泽中水。

野旷天清无战声，四万义军同日死。

群胡归来血洗箭，仍唱胡歌饮都市。

都人回面向北啼，日夜更望官军至。

几乎就在这两个世纪里，在欧亚大陆的西部，罗马、希腊世界的遗族——拜占庭帝国先是在与周边部落的拉锯战中消耗掉了许多能量，继而又被内部的反圣像崇拜所撕裂，拜占庭帝国的遗产也几乎耗尽，最后，在帝国末年，连首相希奥多尔都说："拜占庭除了祈祷只能自求多福。"这些希腊、罗马世界的遗族，如果他们回忆起西比阿、凯撒、奥古斯都、哈德里安、君士坦丁时代权力与荣耀的时刻，也可能为帝国逐渐走向没落产生一些伤感。

古代东西方两个超级强权，同样经历着内部争权夺利、外部蛮族威胁的痛苦。在不断的外敌威胁下，拜占庭帝国熬到了1453年，终于被游牧的土耳其民族攻克；宋帝国在1279年被蒙古军队攻克，明帝国在1644年为北方的清兵攻克……

两个世界的碰撞没有提前

在罗马帝国崛起和长安帝国勃兴的早期，有很多相似的地方。

首先，这两个帝国都曾在与残暴敌人的作战中诞生。罗马早期是在伊特鲁里亚人的统治下，由于残暴的国王塔昆激起了人民的愤怒，罗马人在布鲁托斯的领导下赶跑了伊特鲁里亚人，此后，不断与他们作战，征服并同化了他们。长安帝国的汉朝，也是在与残暴的秦帝国作战的过程中壮大的。

罗马曾经有这样的神话和传说，传说罗马的创始者罗慕勒斯和雷摩斯是孪生兄弟，生下来后被抛弃在荒野，由母狼授乳，他们长大后，狼性不改，率领人民回到台伯河边。但为了争夺罗马的统治权，孪生兄弟大打出手，最后，罗慕勒斯杀了雷摩斯。

汉高祖刘邦

而长安帝国的创始人刘邦，与驱除秦暴政的另一位将军项羽也曾经有过兄弟般的情谊，为了争夺帝国的统治权，也展开了长期的厮杀。当项羽捉住刘邦之父要将其放在沸水中烹煮时，刘邦笑道："我们曾经是兄弟，我父即你父，你烹后，不妨给我分一杯羹。"——比项羽更心狠手辣，比项羽更具领袖风范和胸怀，比项羽更懂得用人术和御下术，所以刘邦建立了帝国而项羽失败。唐太宗李世民更是在玄武门之变中杀死了哥哥李建成和弟弟李元吉，并且把李建成和李元吉的儿子们一一斩草除根，然后作出姿态，将自己的儿子过继给死去的兄弟，表示延续兄弟的一脉，这在古人看来是"续香火"的正当之举，但在现代人眼中，就有点掩耳盗铃了。

奥古斯都时代的罗马历史学家李维有感于当时人们的堕落，期望从罗马兴起的历史中发现罗马的美德和荣耀，但他越深入研究，就越惶恐，因为早期罗马的历史充满血腥、贪婪、残暴和淫荡；而当凌沧洲先生追溯中华民族苦难和不幸的根源，寻找中华民族历史的美德和荣耀时，越深入研究，也越惶恐不安——长安帝国的早期亦如罗马的历史。

罗马与长安帝国在形成初期都曾经迎来过生存大敌。

罗马的敌人是北非的迦太基，长安的敌人是北方的匈奴。

当汉尼拔的部队翻越阿尔卑斯山，横行意大利半岛的时候，当汉高祖刘邦在白登被匈奴包围的时候，罗马与长安都摇摇欲坠。

公元前216年，汉尼拔在坎尼之战中围歼罗马军队。但幸存下来的西比阿认真研究了汉尼拔的治军和作战方略，破坏了汉尼拔的后援，基本清除了迦太基在西班牙的势力。凯旋回国后，公元前202年，又在北非的扎马之战中打败汉尼拔及其所率迦太基军，一举结束了劲敌迦太基对罗马的威胁。

长安帝国对匈奴的作战，也经历了从不利到有利的局面。比如公元前133年，在马邑的伏击战中，长安帝国出动了李广等将军，30万人马，想诱敌深入，进而歼灭，不料计谋被泄露，出谋划策者王恢竟被下狱，匈奴攻击更甚。（见《史记》）

此后，长安帝国与匈奴的攻击，互有胜负。公元前119年，卫青和霍去病率军攻击匈奴，追击到狼居胥山（约今蒙古乌兰巴托东），自此漠南无匈奴王庭。但汉朝自身的损失也很惨重，士卒死亡数万人，马匹出塞时14万匹，战后尚不满3万匹。

但是长安帝国的动员能力、人才储备、战略储备以及它的外交同盟策略，都是匈奴所无法企及的。公元前1世纪前，由于长安帝国的策动和打击，由于匈奴内部的斗争、饥荒，匈奴持续衰败。到公元前71年，校尉常惠与乌孙、丁令、乌桓等攻击匈奴，匈奴从此大为虚弱。公元前36年，甘延寿、陈汤等人攻郅支，破郅支城（中亚塔拉斯河畔的江布尔），杀单于。

公元89年，窦宪、耿秉率部与南匈奴兵联合大破北匈奴，降者二十余万人。两位汉将出塞三千里，登燕然山（今蒙古杭爱山），刻石记功而还。

尽管汉代几百年来与匈奴作战战绩辉煌，但也十分吃力，直到汉王朝灭亡，匈奴的边患也没有结束。

几百年后，罗马帝国也饱受匈奴人的困扰。匈奴王阿提拉被惊呼为"上帝之鞭"，抽向正被蛮族不断侵袭、走向衰败的罗马帝国。

公元451年9月20日，在法国东北部的沙隆，爆发了欧洲历史上一次重要的会战。会战的一方是风雨飘摇的罗马联军，而另一方是阿提拉领导的匈奴联军。双方在这次会战中总共投入超过100万的兵力，虽然战斗只持续了一天，但尸横遍野、血流成河，有16万人在这一天的战斗中丧生。会战以匈奴军队的败退为结局。两年后，阿提拉在迎娶一位日耳曼族新娘时喝得酩酊大醉。第二天众人进入新房，发现阿提拉血管爆裂，已倒在血泊中气绝身亡。

创造高度文明的东西两强——长安和罗马，没有机会正面接触，谁的军力更强大，无法给出一个定论。

马可·波罗

但是一个有趣的历史细节，可以为人们观察、判断两强风貌提供一个佐证：

公元97年，西域都护班超派部将甘英出使大秦（罗马），至安息（今伊朗一带）西界，望大海而还。

而在公元166年，大秦王（罗马皇帝）安敦遣使至汉。（见《中国历史大事年表》，上

海辞书出版社 1993 版）

当时的汉帝国没有重视罗马使者的来访，对于西方信息的了解也十分匮乏，千百年来，长安帝国的民众及其后裔，对西方的了解几乎为零；相反，马可·波罗的游记、马嘎尔尼的报告却不断地将中华大地的消息输送到各个时期西方列强的视听中。

长安帝国的英雄班超曾经说过："明智的人能够看出还没有露出苗头的事物。"见微知著，一叶知秋，长安、罗马，两个世界虽不曾直接发生碰撞，但其精神的高下，我们还是能推理出一二来。

不同的权力模式和文化遗产

在罗马帝国衰亡后一千年，法皇拿破仑率大军攻下罗马。尽管罗马城已经破败，但在拿破仑看来，攻克罗马具有象征意义。画像上的拿破仑戴着罗马式的月桂冠，仿佛罗马的威权正由他继承一样。

对罗马着迷的不止拿破仑一人。在俄国，受拜占庭影响的统治者将自己命名为凯撒（沙皇），仿佛罗马帝国转世还魂到了斯拉夫人身上似的。

拿破仑说："罗马的故事就是全世界的故事。"拿破仑的全世界可能不包括东方。他们的视角几乎都围绕着西方的历史，围绕着罗马帝国转动。

而在拿破仑攻占罗马前的几十年，在大西洋彼岸，有群智慧勇敢的人，正在为一个新兴的国家设计政治制度。这群人饱读拉丁文学，熟知罗马历史，力图从罗马的衰亡及后续乱像中寻求历史教训——他们设计的民主体制，他们的权力制衡体系，他们对自由的信仰，使这个国家立国两百多年来一直繁荣向上，并成为当今的超级强权，这个"新罗马帝国"就是美国。（参见纪录片《罗马的荣耀》）

罗马，在权力模式和制度设计上，在文化、信仰和风俗上，究竟与长安帝国有什么根本性的不同呢？

孟德斯鸠说，"我们总离不开罗马人。今天我们在他们的首都也还是要离开新的宫殿去寻找废墟颓垣；就像骋目于万紫千红的草原的双眼，总爱看看岩石和山陵。"

罗马，首先在财产权上，比起长安，相对有保障。没有财产权就没有自由，财产权是自由的基础。甚至，"罗马的立法者，又规定，被定罪的人的财产应受到尊重，以防止财产被人民没收。"（《论法的精神》第6章）"罗马法律规定，除了最重大的叛逆罪外，不得没收财产。"（《论法的精神》第5章）

534年，罗马法典在东罗马帝国皇帝查士丁尼的主持下编撰完成并颁布施行，后人称之为《民法大全》。该法典对西方文明的影响被认为仅次于《圣经》，其基本思想和原则已融入西方乃至世界各国的法律中。读者可以从这里节选的一些条文中领略到罗马法的博大精深：

  ●任何人在缺席时不得被判罪。同样，不得基于怀疑而惩罚任何人……"与其判处无罪之人，不如容许罪犯逃脱惩罚。"

  ●任何人不能仅因为思想而受惩罚。

  ●提供证据的责任在陈述事实的一方，而非否认事实的一方。

●判刑时必须始终考虑罪犯的年龄与涉世不深。

●武力和畏惧完全与自愿的同意背道而驰，而后者乃诚实契约之根基；容许任何此类行为都是悖逆道德的。

●父亲的罪名或所受的惩罚不能玷污儿子的名声；因为每一方的命运均取决于自己的行为，而任何一方都不得被指定为另一方所犯罪行的继承人。

●人人都应养育自己的后代；任何人若认为自己可以遗弃孩子，都将受到法律的惩罚。家长或监护人如果弃自己的孩子于死地，则当孩子被他人出于同情之动机救助后，原家长或保护人根本无权得到孩子，因为任何人都无理由声称一个被他弃于死地的孩子依然属于他。

●世代相传的习俗应受到尊重和服从，不得轻视，但其有效性不应凌驾于理性或法律之上。

●拷问用于查明犯罪真相，但不应作为首选方式。因此，首先应当求助于证据；如果当事人涉嫌犯罪，则可以通过拷问迫使他供出同谋与罪行。

●拷问不得施加于14岁以下的未成年人……

而在长安，汉帝国与唐帝国，都没有保护私有财产的传统与立法，信奉的都是"普天之下，莫非王土；率土之滨，莫非王臣"。在汉帝国的皇帝刘彻登基之初，由于文景之治的宽松政策，长安的钱币数以百万，穿钱的绳索都烂了，国库中的粮食多得烂掉，而且马匹众多，如果乘一匹母马参加集会都会被鄙视和排斥。（见《汉书·食货志》）

但是在公元前119年，汉帝国命令商人自报资产，每2 000钱出资120钱。河南一个名叫卜式的商人捐助出击匈奴的军费，被封为中郎。

公元前 117 年，汉朝皇帝命令杨可主持"告缗"（调查、告发隐匿不报或少报财产的人）。同时在公元前 114 年出台一个法令：平民告缗者，给以被告者资产的一半。这场搜刮民财运动的结果，是得到了数以亿计的百姓财物，数以千万计的奴婢，田地大县数百倾，小县百余倾，房屋也如此。商贾中产之家以上的大都破产。

这是长安帝国在早期的邪恶，无论它打着什么样的保家卫国的幌子，都为帝国历史添加了恶劣的例子……可以想见，多少人因此家破人亡，这对民众道德的沦落和告密之风的兴盛起了很坏的作用。

长安帝国的残酷无情还不止于此。由于它的统治者权力膨胀得足以吞没一切制衡的力量，除了上天的超自然力量和彻底的反叛，他们可畏惧的不多，因此，所谓的社会公正在体制上就有病因。

罗马也有它的堕落时刻和大规模的道德沦丧，但是罗马共和国时期，统治者的权力相对是受到限制的——有任期制度，有元老院制度……最重要的是，罗马公民有票选制度。在瑟维里厄皇帝进行了人口统计、选举团的划分后，当罗马人民推翻塔昆的暴政后，罗马人民不再接受君主统治，他们有了选举制度。这是人类几千年文明中最大的亮点之一。

我们不能不说汉帝国和唐帝国的开创者们也是推翻旧的暴政的功臣，然而打下江山后"坐江山"、"家天下"的观念根深蒂固……无论长安的文化如何灿烂，长安皇帝的文治武功如何威震四方，长安帝国的民众，在漫长的岁月中，却并没有得到一张能撤换他们管理者的选票。

班超

　　柏杨先生曾经写过《英雄末路》一文，描写许多中国名将的悲惨下场，中国文明固然有其酱缸的一面，但是西化论者却无法看到长安文明在地理封闭环境中也曾有过的灿烂时刻。

　　不过，尽管凌沧洲先生致力于在沉没的"长安文明号"残骸中打捞点有价值的东西、打捞其光辉、足以鼓舞人的一面，也无法回避其黑暗面。甚至，我要补充柏杨先生《英雄末路》的故事。

　　还记得中国英雄班超吗？在与匈奴的战争中，为长安帝国立下过奇功。他的长子班雄、小儿子班勇也在西域为祖国效力多年。班雄还带领五营兵马驻扎在长安，并出任京兆尹（长安市长）。班雄的儿子班始在父亲死后继承了他的职务，并且高攀上清河孝王，和他的女儿阴城公主成婚。该公主是汉顺帝的姑母，骄横而又淫乱。她和她的男宠同处帏帐中，而要班始爬到床底下。班始憋了一肚子气，永建五年（130年），就拔刀把公主杀了。汉顺帝大怒，把班始腰斩了，班始的同族都被杀害……（见《后汉书》）。帝国君主就是这样对待他的臣民的，即使班始杀人当惩，他的族人被诛灭却充分展示了帝国的残暴和不义，同时帝国的阳刚之气为什么渐渐衰落，这与专制恐怖，与王权扩张，与社会公正无法实现大有关联。

"当我们从历史读到苏丹的司法残暴的例证时，不禁以一种痛苦的心情感到人性的邪恶。"孟德斯鸠这样说。同样，当我们读到中国皇帝们司法残暴的例证时，会不会也感到痛苦？会不会感受到人性的邪恶？还是以一种奴隶和顺民的姿态来歌唱那些好大喜功的帝王，甚至认贼作父，把征服者和奴役者歌唱成英雄，把他们的时代渲染成盛世？！

元老院和罗马人民——这就是罗马早期的权力模式和来源。孟德斯鸠把共和国以前的早期罗马政体分为最初五王政体、瑟维里厄政体和塔昆政体。最初五王时期，元老院享有最多的选举权。瑟维里厄统治时期，将人民划分为许多个选举团，瑟维里厄是人民选择他为王的，元老院没有参与选举。而塔昆不要元老院也不要人民选他为王。"他要把三权集于一身，但是当人民想起自己曾经是立法者这一事实，塔昆就完了。……罗马人民比其他人民更易于为悲惨景象所激动，卢克丽霞染血的尸体的悲惨景象结束了王权制度。"（《论法的精神》第11章）

罗马，它的人民，在其历史上，曾见证了两个人的死亡。一个人名叫维吉妮，一个人名叫凯撒。

维吉妮是一位漂亮的姑娘。公元前451年，她的父亲维吉努斯将她许配给了洛修斯。二人还未举行婚礼，洛修斯就奔赴战场。护民官阿皮尤斯垂涎维吉妮的美貌，软磨硬泡都未能得到维吉妮纯洁

的心。最后，阿皮尤斯想出了歹毒计谋，让一个大胆的自由民马库斯来完成他的计划。几天后，马库斯在维吉妮经过的广场上，悍然逮捕了维吉妮，说维吉妮是他的逃奴。这姑娘喊叫求援，很快就聚集了一群人，正巧洛修斯也归来在人群中。

双方僵持不下，争执到法院，而法官正是阿皮尤斯。阿皮尤斯判定维吉妮是逃奴。马库斯要将维吉妮带走。维吉妮的父亲多次抗争无效，悲愤交加中，他带着尖刀回到了女儿身边，大声说道："亲爱的女儿，我只能用这种方式来恢复你的自由了！"旁观者看到，他将刀刺入了女儿的胸膛。

鲜血使罗马人民看清了阿皮尤斯之流卑鄙凶残的面目。不久，平民收回了自己的权利。在已经做了护民官的维吉努斯的提议下，阿皮尤斯和马库斯被逮捕起诉，阿皮尤斯自杀，马库斯逃亡。（参见《西方名女》，薄加丘著，中国言实出版社）

如果说维吉妮是自由祭坛上的祭品，那么，凯撒则是罗马人民恐惧暴政、追求自由的牺牲品。当凯撒击败庞培、权势如日中天的时候，当独裁的气息日益浓厚的时候，罗马人的不安浮上台面，正如莎士比亚戏剧中描写的罗马人的怀疑："可耻的时代！罗马啊，你的高贵的血统已经中断了！自从洪水以后，什么时代你不曾产生比一个更多的著名人物？直到现在为止，什么时候人们谈起罗马，能够说，它的广大的城墙之内，只是一个人的世界？要是罗马给一个人独占了去，那么它真的变成无人之境了。啊！你我都曾听见我们的父老说过，从前罗马有一个勃鲁托斯，不愿让他的国家被一个君主所统治，正像他不愿让它被永劫的恶魔统治一样。"

为了防止即将到来的独裁和暴政，罗马人刺死了大名鼎鼎的英雄凯撒。但是，最后，凯撒的余党还是取得了胜利，罗马朝着帝国演变。

孟德斯鸠在评价这两个人的死时说道："目睹维吉妮的死，促使人们驱逐十大官；凯撒沾满鲜血的长衣，使罗马重新受到奴役。"（《论法的精神》第 11 章）

当罗马人奋起驱逐塔昆暴政的时候，当罗马人不愿为自己打造锁链而刺杀凯撒的时候，当罗马人拥有选举最高权力者的选票的时候，当罗马的法律在制约权力滥用的时候，罗马的光芒掩盖了其血腥残暴的阴影，今天的文明世界无不在分享着罗马共和与自由的传统。

谈到罗马与长安，我们不禁还要谈一谈罗马与长安的精神源头和信仰力量。当基督教在罗马帝国传播，基督徒遭到了残酷的迫害。相比基督徒遭受的迫害，孔子的信徒在长安帝国的命运要好得多。从两种教派提倡的爱和人道关怀而言，我认为两种教义都闪耀着光芒。但是，基督教作为被迫害者的宗教、受难者的宗教，基督徒对追求信仰自由有着比儒教子弟更深刻的体验，虽然基督教执掌权力后也迫害异端，但是，在西方世界，追求信仰自由一直是一种驱动力，无论是来自基督教内部的纷争，还是来自外部别的宗教的竞争。北美的首批移民之一，"五月花"号上的清教徒，就是为了宗教信仰自由而漂洋过海，从而带来了一个新国家的诞生。

元光元年（公元前 134 年），汉武帝召集各地贤良方正文学之士到长安，亲自策问。董仲舒在对策中指出，春秋大一统是"天地之常经，古今之通谊"，现在师异道，人异论，百家之言宗旨各不相同，使统治思想不一致，法制数变，百家无所适从。他建议："诸不在六艺之科孔子之术者，皆绝其道，勿使并进。"董仲舒指出的适应政治上大一统的思想统治政策，很受武帝赏识。于是，汉武帝采纳了董仲舒的建议，以儒家的纲常名教来维护统治，罢黜百家，独尊

董仲舒

儒术，又大量提拔儒生充当中央和地方官吏，不治儒学之博士皆被罢免，由是自宰相至地方官员几乎全由士人充任。同时，设五经博士，专授儒家经典；又设太学、办学校、察举孝廉，使儒家理论渗透到各阶层、各领域，成为国家政策及管治的理论根据。儒教升级为垄断性的国教，支配了长安帝国的文明。

公元 313 年，君士坦丁在米兰下了一道诏谕，此诏谕并未定基督教为罗马国教，也没有禁止异教崇拜，但它却远超过加利流在公元 311 年下的容忍基督徒的诏谕。米兰诏谕宣布停止对基督徒的逼迫，并宣告良心的绝对自由，允许基督徒在罗马帝国内和其他宗教一样，可以享受法律前平等的地位。直到 391 年，罗马皇帝狄奥多西一世才宣布它为国教。

这是东、西两个帝国对信仰所采取的不同态度。信仰自由的重要性，在长安帝国从来就没有被意识到，虽然在春秋时代东方专制权力失控时期各种信仰的萌芽成长过；而在罗马世界，信仰自由，是基督徒流血几百年才争取来的权利，从罗马皇帝尼禄到哈德良、图拉真等人，几个世纪以来，基督教处于被严酷打压和迫害的状态。但是当基督教取得垄断性的地位后，西方世界的人们同样面临为异端的权利奋斗的困难局面。

罗马的辉煌与长安的复兴

罗马人和长安人都创造了高度的文明和繁荣的文化。

在理性思辨上，罗马人独步当时；在建筑艺术和工程服务上，罗马更是创造了古世界的辉煌。公元 1 世纪，罗马的大道四通八达，你只需持一本护照，就能从埃及到达法国。罗马的竞技场、拱顶、圆柱……甚至罗马的建筑风格，你都能在新世界的美国发现其影子。罗马人创造了世上罕见的输水道工程，高大的水渠将山间的水引到城市供人们饮用、洗浴，这种建筑和卫生成就，是一些国家 20 世纪初期都没有达到的。东罗马帝国在拜占庭也创造了建筑艺术的辉煌，从公元 5 世纪起陆续建成的那些教堂，如圣索菲亚教堂，其雄伟壮观，其对物理学恰到好处的运用，令人叹为观止。至今，土耳其人都可以坐享这些雄伟的教堂作为旅游产业带来的丰厚的回报。

而在感性艺术上，长安帝国的人们则充分发挥了他们的聪明才智和创造精神。长安帝国的伟大成就之一，就是他们的诗歌。经由唐诗这种艺术形式，长安帝国的人们，把他们对生活无尽的热爱、对黑暗和不公的控诉、对暴政的蔑视、对独立人格的追求、对战争的反对和对和平的向往诉诸纸上。

但是，长安，没有能在制度的建设上取得任何成就。

这当然也是有原因的。按照孟德斯鸠等人的研究，亚洲的平原地理条件和气候等因素，促成了东方的专制。而人类学家则有一种"领先遏制"的理论，东方在文明进化中曾经处于较优势的地位，而这种缺乏周边文明竞争的优势地位，在工业革命来临时无可避免地落后和衰败了。（斯塔夫理阿诺斯《全球通史》）

正如罗马帝国在蛮族冲击下崩溃，长安文明在 10 世纪后也已经进入衰败期，帝国的余脉——"东方拜占庭"宋、明帝国，屡屡在游牧民族的冲击下遭到重创。帝国的生活，除了还信仰儒教外，已经全然改变，连发型和服装都已经变得让人不认识了，如果一个长安帝国的唐代人，来到 17 世纪的大清帝国，将会发现自己很难适应，因为头上多了一根辫子，而奴性更加深重了，残存的那点独立、尊严、风骨将在奴才们的请安声中消失。

美好的生活已经一去不复返，长安帝国的光环脱尽，汉唐的辉煌只留在人们的回忆之中。今天，当长安帝国的后裔，古老文明的继承者们号称要进行复兴时，首先就必须厘清：我们要复兴这古老文明中的什么东西，是它的武力的强盛和经济的繁荣？是它的自信？是它的风骨？还是它的人文关怀？

"郁孤台下清江水，中间多少行人泪！西北望长安，可怜无数山！青山遮不住，毕竟东流去。江晚正愁余，山深闻鹧鸪。"（辛弃疾《菩萨蛮》）

东方拜占庭的陷落

——大宋帝国号沉没的前后

一心中国梦，万古《下泉》诗。
——郑思肖
哈德伦斯，你从没尝过自由的滋味，
如果你尝过的话，
你不仅会用长矛，而且会用战斧为自由而战。
——希罗多德

南宋——东方拜占庭

这个故事讲述了一个国家的灭亡，一个民族的被征服；讲述这个国家在末日来临前后它的臣民的抉择、勇气与悲壮。这个故事讲述了一艘航行了几百年的帝国船只如何在世纪变迁的风浪中沉没，并打捞在被风尘掩盖的历史后面那些勇敢的心和自由不屈的灵魂。这个故事名叫《东方拜占庭的陷落——大宋帝国号沉没的前后》。

许多年后，在距离临安（杭州）几千公里的一座海上的金城，君士坦丁堡，也沦陷在游牧民族的铁蹄和炮火下。土耳其人的苏丹穆罕默德二世策马进城，在神圣的圣索菲亚教堂前，将祈祷的方向调向圣喀巴方向，一个持续了千余年辉煌壮丽的梦想就此结束，拜占庭帝国，东罗马帝国从此成为历史。

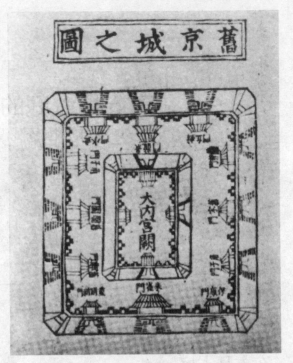

开封内城图

南宋——东方拜占庭，这是凌沧洲先生 2006 年时并不十分恰当的比喻。长安帝国——汉唐覆灭前后，来自北方游牧民族的挤压，尤其是唐帝国末年来自西部回纥甚至是吐蕃的压力（吐蕃军一度攻入长安），迫使帝国的重心不断东移。

宋朝建立的初期，尚且称洛阳为西京，汴梁为东京，然而这种形势也没持续多久，在金兵的逼迫下，帝国的权力重心南移，最后落脚在临安。

这种情势与君士坦丁大帝抛弃罗马城而建都于希腊小城拜占庭——君士坦丁堡有相似之处，但也有不同。罗马帝国也饱受蛮族的困扰，日耳曼人、哥特人、匈奴人不断突破帝国的边防，在帝国的土地上肆虐。而宋国都城被迫南移的过程似乎更加无奈——对他们来说，北方已经永久地沦陷于游牧民族的手中了。

12 世纪末，东方拜占庭的有识之士对宋国风雨飘摇的情势十分忧愤，他们对朝廷的呼吁和在文章诗词中表达的忧患意识，都无法激起一个衰败的王朝和民族的斗志，都无法遏制北方新兴游牧民族南下掠夺征服的猛烈势头。

1178 年，陈亮先生给皇帝写了一封情真意切、文情并茂的信，信中对宋国的战略形势十分忧虑："惟我中国，凝聚天地之正气，天命所钟，人心所会，衣冠礼乐所萃，百代帝王之所相承。现在却偏安一方，虽天命人心犹有所系，但是哪有可能长治久安而无事的……"

陈亮论述了吴、蜀在地缘格局中属于边缘地带，而钱塘又是吴之一隅。钱塘人物繁盛，富甲东南，风俗华靡，上下贪图安乐。"陛下据钱塘已耗之气，用闽、浙日衰之士，而欲鼓东南习安脆弱之众，北向以争中原，臣是以知其难也。"

南宋中国的血性已经衰败，李广、陈汤、班超、张骞、窦宪、耿秉、李世民、李靖、侯君集、李勣、王玄策、苏定方这样的人物已经永远消失在历史风尘中，让帝国末年血色渐浓中的人们苦苦回忆不已——"天下事，问天怎忍如此？陵图谁把献君王，结愁未已。少豪气概总成尘，空余白骨黄苇。千古恨，吾老矣。东游曾吊淮水。绣春台上一回登，一回揾泪。醉归抚剑倚西风，江

陈亮

涛犹壮人意。只今袖手野色里。望长淮、犹二千里。纵有英心谁寄。近新来、又报胡尘起。绝域张骞归来未。"（王野《西河·天下事》）

"每到危亡思名将，张骞在世又如何？君不见岳飞坟头三尺血，临安夜夜闻笙歌。纵有千人悲泣岳飞案，朝廷耳聋六月雪。权臣与君都沉湎，长城自毁空悲切。"（凌沧洲《怀古》）

米贾托维奇在论述拜占庭人的衰败时，也曾有精彩的论述：

> 这个民族变得暮气沉沉，它既无主动精神也无意志。在皇帝和教会面前，他们匍匐在尘埃之中，背转身来，他们却不禁捶胸顿足。上面是暴政和榨取，下面是仇恨与怯懦。上下朝野充满了残酷和伪善的风气，外表的虚文代替了真正的文化，浮华的语文隐蔽了真正的观念。所有的政治和社会组织都是同样的腐朽，民族精神衰老了，缺乏一切弹性。在虚伪的爱国心的掩护下，大家都只重私利，而忽略了公益。（转引自富勒《西洋世界军事史》）

12、13 世纪的东方拜占庭，精神也已经衰败，生活精致而腐化，尤其是权贵们，根本不了解周边的战略态势。蒙古人已经在中亚腹地势如破竹，宋国君臣对此危急存亡之秋的生存状态如同懵懂。帝国末年，权柄掌控在贾似道等人手中，政局一天糜烂似一天。贾似道因为姐姐出任宋理宗贵妃的缘故，深受皇帝恩宠。此人经常在妓院流连，晚上在湖上游乐不回家。一次，理宗登高远眺，看见西湖中的灯火与平时不同，就对左右说："一定是贾似道在那里。"第二天问他也得到了肯定的答案。理宗去世后，度宗为贾似道所立，贾的权焰更加旺盛。每次他朝见后皇帝都对他回拜，不称呼他的名字而称之为"师臣"，其他朝臣都呼他"周公"。

这样一位"师臣"和"周公"，在帝国北部的屏障——襄阳被围困，情势十分急迫的状态下，仍在修建亭台楼阁，娶宫女、尼姑中美貌的为妻。帝国一位将领名叫余玠，对帝国的防守贡献良多，他的一条玉带被贾似道看上了，去索要时却发现那条玉带已经做了余玠的殉葬品，老贾居然就把余玠的坟墓掘开取出玉带。帝国要人的精神腐化道德沦丧竟致于此！

贾似道宅第

对宋国权臣们的腐败，诗人用他们的笔触记录了历史："襄樊四载弄干戈，不见渔歌，不见樵歌。试问如今事如何？金也消磨，谷也消磨。《拓枝》不用舞婆娑，丑也能多，恶也能多！朱门日日买朱娥，军事如何？民事如何？"（杨金判《一剪梅》）

朱门日日买朱娥，大船将沉的前夕，永远是有人在夜夜笙歌。

沉没在历史深处的英雄们

1273 年，襄樊保卫战前后将近五年，蒙军用巨炮（巨型发石机）轰击襄阳，襄阳守卫者们的心理防线终于崩溃，守将吕文焕哭着把浴血守卫多年城池交出，投降。帝国北面的屏障被攻破，东方拜占庭——宋帝国雪崩的局面加剧。

在东方拜占庭沦陷的若干年后，我，凌沧洲先生从历史深处，从宋史中，从不再被人提起的故事中，打捞出这艘沉船遗骸中的英雄风骨——

襄阳沦陷的时候，参与守城的范天顺仰天叹息："生是宋国人，死是宋国鬼。"就在他所守卫的地方自缢而死。

投石机

牛富，守卫襄阳五年，移守樊城，两城六年不被攻破，牛富也有不少功劳。"城破，富率死士百人巷战，死伤不可计，渴饮血水。转战前，遇民居烧绝街道，身被重伤，以头触柱赴火死。"副将王福见牛富死，叹息说："将军为国而死，我怎忍独自偷生！"也跳进火中自杀。

边居谊，防守新城。吕文焕派人来劝降，边居谊命令伏弩乱发，射中吕文焕三箭，"并中其马"，马倒下了，几乎被俘的吕文焕，在兵士的救助下换了一匹马逃走。每当招降的人来时，边居谊都回答说："你们想得到新城吗？我誓死守卫这里，你们怎么能得到呢。"吕文焕指挥部队攻城，边居谊把家中财产尽散将士，往来督战。当黄昏来临时，敌军攻破城楼，大火蔓延到民居，边居谊见大势已去，回家拔剑自杀未遂，随即投进火中死去。

陈炤是朐山县的长官，蒙军南下进攻常州，常州长官赵与鉴跑了，有人对陈炤说："现在逃难有了理由啊。"陈炤回答："乡邦沦没，怎可坐视，与其偷生而苟全，不若死之愈也。"于是，积极准备防守。蒙军杀到，血战城破，陈炤带兵巷战，家人对他说："城东北门围未合，可走常熟到临安去。"陈炤说："离开这里一步，就不是我应该死的地方！"正午时分，敌兵来了，陈炤牺牲殉国。

王安节，年轻时就跟随他父亲王坚守合州，并立下了战功。1275年，贾似道溃师芜湖，列城皆降，不降者亦弃城而逃。王安节后来再守常州，蒙兵破其南门，安节挥双刀率死士巷战，因臂伤被俘虏。有人问他叫什么，王安节呼曰："我是王坚之子王安节！"来人劝他投降，被他一口拒绝，蒙军将他杀害。

尹玉，跟随文天祥抵抗蒙军。战斗中许多部队溃败了，只有尹玉残军五百人仍在殊死战斗。尹玉手刃数十人，"箭集于胄如猬毛，援绝力屈"，于是被俘。蒙军把他活活打死。他被俘后他的残部仍在夜战，直到死亡没有一个投降的。

蒙古军

李芾，是在东方拜占庭沦陷时不可不提的名字。

李芾的高祖李升曾中进士，为吏有廉名。1127 年，金人攻破开封，用刀锋逼迫李升的父亲，李升上前捍卫他，与父亲一起牺牲。当蒙军攻取鄂州时，李芾为湖南提刑。贾似道兵溃芜湖，李芾接任潭州长官兼湖南安抚使。湖北州郡皆已投降，他的朋友劝李芾不要去，李芾哭泣说："我岂能只考虑自己的安危？我深受国恩，只能以家报国。"此时正逢李芾爱女死亡，他在悲痛中毅然前往。

1275 年 7 月，蒙军兵临城下，潭州兵员已经调用尽矣，敌人的游骑已入湘阴、益阳诸县。李芾仓促招募了一支不满三千人的队伍，誓死抵抗。10 月，蒙兵攻西壁，李芾亲冒矢石督战。城中箭尽，李芾命令收集民间羽扇，制成箭具。苦于食无盐，李芾取库中积盐席，焚取余盐作为补给。在战斗中负伤的人，李芾亲自抚劳，"日以忠义勉其将士"。尽管守城将士死伤渐多，但人们仍在浴血奋战，捍卫家园。有来招降者，李芾一概杀之。

12 月，城围益急，诸将哭泣请求："形势急迫，我们可以为国而死，但城中老百姓怎么办？"李芾骂道："国家平时厚待你们，就是为了今天。你们必须死守，再有动摇军心的我先杀了他。"

这一年的除夕，蒙古大军登城，尹谷及其家人自焚，李芾祭酒纪念他。在国破家亡的前夜，这些东方拜占庭人——南宋的精英贤达表现出了对祖国和家园无尽的热爱。那一夜，李芾留宾客和部将共进晚餐，当夜传令，犹手书"尽忠"字为号。这是东方拜占庭人最后的夜宴，当宾客与部将离开后，参议杨震投向园中的池塘自尽。

李芾命令他的部下沈忠："我已经尽了全力了，现在应该是死的时候了，我的家人也不应该被俘受辱，你可以全部杀了，而后杀我。"沈忠伏地叩头，推辞说"不能"，李芾坚决命令，沈忠哭泣着答应了。在李芾的家人喝醉之后，沈忠将他们一一杀掉，李芾也引颈受刃。随后，沈忠纵火焚烧了李芾的居所，回家把自己的妻子孩子杀掉，再次来到大火燃烧的李芾住地，自刎而死。李芾幕属顾应焱、陈亿孙都自杀了。潭州百姓听说后，很多人举家自尽，因为投井自尽的太多，城无虚井，在树林中上吊自杀的也比比皆是。

李芾视死如归，用生命换回了自由和尊严——决不屈服做异族奴隶。同时，他也有着中国式的智慧，他早就知道死亡是无法抗拒的，刚到潭州时，就让一个儿子离开了潭州，并对他说："让你活下去，是为了保持血脉和香火！"

或许，中华文明千年不绝，总是在游丝命悬的时候能够续命，与这种智慧有关?!

你可以想象潭州城被攻破时人们悲壮决绝的场景，城内满是火光和尸体，人们以这样的勇气书写了捍卫自由、不做奴隶的决心！

可有当代中国人知道这一幕？犹太人几百死士在一个山冈绝地抵抗罗马人多年，最后全都自杀的故事，在荧屏上可以看到，在书卷中可以读到，他们为自由而死的勇气感动了千年时空；而古中国的潭州城为了自由而悲愤抗争，从容赴死的这一幕，可曾在电视剧、电影中看到?!荧屏上看到的多是飞舞的辫子，多是奴才的请安声，多是长跪的一个王朝的背影。

"举家自杀尽忠臣，仰面青天哭断云。听得北人歌里唱：潭州城是铁州城！"我们只能从南宋诗人郑思肖《咏制置李公芾》的诗篇中去寻找历史的蛛丝马迹，去想象当时的悲壮。

这种"仰面青天哭断云"的时刻，不是第一幕，也不是最后一幕，历史还会在1644年重演，但举家自杀的自由抗争精神，在后来的历史中已经稀薄乃至难觅踪影了。

蒙古骑兵图

赵卯发，在池州供职。蒙兵渡江，池州守卫长官王起宗弃官而去，赵卯发代理执掌州事，"缮壁聚粮，为守御计"。第二年正月，蒙兵至李王河，赵卯发知道守不住了，于是摆下酒席招待亲友，与他们痛饮诀别。赵卯发对他的妻子雍氏说："城池就要被攻破了，我是防守者不能走，你先走吧。"雍氏回答说："你要做忠于国家的男儿，我就不能做忠于国家的女子吗?"赵卯发笑道："这怎么是女人能做的呢。"雍氏说："那我就在您前面死。"赵卯发笑着制止了。

2月，敌兵逼近池州，赵卯发早上起来在桌上书写道："君不可叛，城不可降，夫妻同死，节义成双。"又写诗告别兄弟，与雍夫人穿好衣服，一起自缢在从容堂。从前赵卯发建此堂时，名"可以从容"，等到兵临城下，他领客人到堂中，指着所题匾额说："我必死在这里。"客问其故，赵回答："古人谓'慷慨杀身易，从容就义难'，这几乎就是先兆了。"

唐震，饶州长官。当时兴国、南康、江州诸郡皆已投降，大兵进攻饶州。蒙军派使者劝唐震投降，唐震呵斥道："我能忍辱偷生背叛国家吗?"城中少年被唐震的话激励，杀了使者。当敌人攻克饶州，唐震的仆人请求："事情危急，番江门敌人还未占领，现在逃生还来得及。"唐震骂道："城中民命皆系于我，我要听你的话得不死，城中百姓死,我有何面目活着?"左右不复敢言。敌人来后,把笔墨铺好,让唐震签署投降书,唐震掷笔于地,宁死不降,遂被杀害。他的哥哥唐椿和家人也全部遇害。

赵淮,与蒙军作战兵败,被俘虏到瓜州,元帅阿术想让赵淮招降李庭芝,并许以大官。赵淮假装许诺,到扬州城下,大呼:"李庭芝!男子汉死就死了,不要投降!"元帅阿术大怒,把赵淮杀害,弃尸江滨。

东方拜占庭沦陷的时刻,帝国哀鸿遍野。为了不做异族奴隶而自杀的人更是不计其数。

"浮尸出海面的有十多万人"

"一切都已昭然若揭,你所渴望的不是和平,而是战争。现在,我只能转过身去,独自面对上帝。我放弃所有与你达成的誓言与条约,我将紧闭城门,为我的人民战斗到流完最后一滴血。"

这是拜占庭最后一位皇帝康士坦丁十一世写给奥斯曼土耳其帝国苏丹的最后一封信。1453 年,一场改变世界历史的攻城战就要在两个国家之间打响。(参见《人类大历史》)

拜占庭灭亡的前夜,传说康士坦丁十一世带着朝臣和将领在教堂祈祷,他说:"我的朋友们,我们的祖先罗马人曾被汉尼拔的大象吓破了胆,但是他们没有逃走,有理性和智慧的人是不缺乏勇敢的!"

1453 年,土耳其苏丹穆罕默德二世在君士坦丁堡城外,对着他的将领们作攻城动员:"这城里的男人、女人、小孩、财富都是你们的,我只要一件东西,那就是君士坦丁堡!"

拜占庭行将走到生命的尽头,它的富庶、它的文明,曾经引来

了那么多羡慕和嫉妒，也为它招来了别人的觊觎和自己的灭顶之灾！

在土耳其人围城的最后时刻，战船已经开进了君士坦丁堡的金角湾。拜占庭守军腹背受敌，士气开始涣散。康士坦丁下令死保君士坦丁堡，冒着炮火在城墙上指挥战斗。当他的副官提醒他这样太危险，要他尽快撤离时，他吼道："在这种危急时刻，我怎么能这样离开先祖留下来的基业和王冠？我又如何面对世人的评说？我向你祈求，我的朋友，以后只能对我说，'不，陛下，不要离开我们！'我永不会抛下你们！决心已定，誓与你们共存亡！"

这是拜占庭帝国末代君王的勇气和人格。

但是上帝已经抛弃了圣城君士坦丁堡。康士坦丁在城门战死。守军溃散，土耳其人蜂拥而入。

1453 年 5 月 28 日，罗马帝国最后一个城堡——拜占庭沦陷。胜利者在城内进行了 3 天疯狂的抢劫、奸淫和屠杀，男子统统被处决，妇女、儿童沦为奴隶（参见《人类大历史》）。

拜占庭的陷落永久地改变了欧亚的地缘政治，也极大地改写了世界历史。欧亚大陆上，土耳其人的势力奇迹般地崛起，欧洲基督教世界骤然失去了保护的屏障，不得不立即感受到来自土耳其的威胁。同时，丝绸之路关闭，欧洲人被迫向西寻找通道，发现的时代即将来临。拜占庭在血与火中沦陷，促成了大航海时代，间接地把美洲、大洋洲甚至南北极推上了历史舞台。

而在此前的两百多年中，拜占庭东方的难兄难弟——南宋中国，拥有了相似的苦难，却远没有如此的幸运。

1276 年 1 月 18 日，在已经攻克南宋的许多领土后，蒙古大军兵临杭州东北的皋亭山。宋国皇帝命人奉表投降，献上传国印，投降书上说："宋国主臣谨百拜奉表言，臣眇然幼冲，遭家多难，权奸似道背盟误国，至勤兴师问罪。臣非不能迁避，以求苟全，今天命有归，臣将焉往。谨奉太皇太后命，削去帝号，以两浙、福建、江东西、湖南、二广、两淮、四川见存州郡，悉上圣朝，为宗社生灵祈哀请命。伏望圣慈垂念，不忍臣三百余年宗社遽至陨绝，曲赐存全，则赵氏子孙，世世有赖，不敢弭忘。"

这番言词卑微谦恭的投降表，也可以说是宋国几百年来在军事上积贫积弱交出的最后的成绩单。

但是，我推测宋国朝臣中也许有人会不同意太后和皇帝的决策。那天晚上，丞相陈宜中出走杭州，而张世杰、苏刘义、刘师勇各率所部兵将离去。从张世杰等人后来决不投降的态度来看，他们是不同意皇帝的决策的，但又有什么用呢？兵临城下，敌强我弱，长安固然不能长治久安，临安就更不能临时苟安了，杭州城的战争地势正如若干年前陈亮所言——无险可守。

蒙古兵押送俘虏图

往昔生活一去不返。蒙古人已经进城。查封了府库，接受了史馆和图书馆，解散了官府和侍卫军，宋国君臣、太后、宫女连同宫廷琴师都被浩浩荡荡地押往大都。

蒙古军在杭州的作为，历史上讳莫如深，我们现在能看到的资料不多。但是《新元史·廉希贤传》里的片言只语，仍能使人感到血雨腥风。宋末词人张炎的祖父张儒在杭州沦陷后，被元军"磔杀"。而张炎的父亲和他的妻妾，或杀或掳或卖，家破人亡。

在临安易手之后，太后和皇帝一行被押北上，诗人和宫廷琴师汪元量全程见证了其过程。在扬州，抵抗运动并没有停止，扬州的守卫者李庭芝、姜才等人在蒙军的围困中坚守。临安沦陷之际，就有使者带着太后与皇帝的诏谕前去劝降，李庭芝登上城墙说："我奉诏守城，没有听说有诏谕投降的！"

当太后和皇帝一行人路过瓜州，再次诏令李庭芝："现在我与太子都已经臣服于元，你为谁守扬州？"李庭芝没有回答来使的问话，下令发箭射杀来使，杀毙一人，其余的都退走了。

李庭芝、姜才等人散尽黄金玉帛给将领兵士，以四万人夜捣瓜州，想夺回太后和皇帝，战斗三小时，蒙军簇拥着他们手中的俘虏——太后和皇帝而去，姜才追击到浦子市，夜晚仍不撤退，但终于无功而返。这年5月，益王在福州被陈宜中立为皇帝。7月，派使者以左丞相的职务给李庭芝。李庭芝命朱焕驻守扬州，自己与姜才带七千人进至东海，到泰州。但是，朱焕投降，把城池献给了蒙军。泰州副将也开城门投降。李庭芝、姜才等人落入敌手，被送往扬州。

奴隶一旦投靠了新主子，往往心肠更硬手段更狠。朱焕请示蒙古将领说："扬州自用兵以来，尸骨满地，这都是李庭芝、姜才所造成的，不杀他们还等什么呢！"这真是想到强盗的心眼里去了。

当蒙古军将领阿术驱使扬州守兵的妻子、儿女到泰州城下，恰逢姜才肋下痈疽发作不能战斗，泰州守卫副将们献城投降，都统曹安国进入姜才的卧室捉住姜才献给蒙兵。阿术欣赏姜才的勇敢想招降他，姜才怒骂不止。阿术在扬州将姜才凌迟处死。临刑前，一位投降的将领出现在姜才身边，姜才咬牙切齿地说："你见到我难道不羞愧死吗？！"

"你为谁守扬州？"这个问题提得好。

李庭芝、姜才等人的结局回答了这个问题：为了父母之邦、为了家园、为了兄弟姊妹，也为了自己的尊严和自由，他们宁死不屈！

陆秀夫负帝投水

1279 年农历 2 月的一个黄昏，天色已晚，风雨交加，伸手不见五指，南宋的最后一支余脉在崖山遭受蒙古军队的攻击，陆秀夫对赵昺说："国事至此，陛下当为国死。德祐皇帝辱已甚，陛下不可再辱！"毅然背着赵昺跳海而亡。随从跳海者不计其数。"七天后，浮尸漂出海面者有十多万人"。（脱脱《宋史》）

13 世纪 70 年代是中华文明史上的转折点，自此，蒙古大军在东亚完成了最大的征服，中原大地彻底沦陷。

"蒙古兵锋下高原，铁蹄席卷扫西东。山河染血余晖里，国运飘

摇破絮中。浮尸十万出碧海，丹心万古照苍穹。闻说自由已远逝，使人到此泪如倾！"（凌沧洲《怀古·崖山》）

"一心中国梦，万古下泉诗"

在东方拜占庭——宋国沦陷后的许多年，大批南宋遗民沉浸在心灵创伤和悲痛中。其中一些坚决不与征服者合作的特立独行之士，思念其故国和失去的美好家园，怀着对征服者和奴役者的无比憎恨，用他们的笔触描写了一个时代心灵的创痛与荒芜，为未来埋下了希望的种子。

诗人和画家郑思肖是这些不服从、不合作者中的代表，宋国灭亡后，他坐卧必向南，因自号所南，以示不忘故国。专工画兰，花叶萧疏，他画兰不画土、根，寓宋沦亡之意。他的《德祐二年岁旦》其一："力不胜于胆，逢人空泪垂。一心中国梦，万古下泉诗。日近望犹见，天高问岂知。朝朝向南拜，愿睹汉旌旗。"其二："有怀长不释，一语一辛酸。此地暂胡马，终身只宋民。读书成底事，报国是何人？耻见干戈里，荒城梅又春！"

郑思肖《心史》的出炉颇富传奇色彩。明朝末年，吴中久旱。崇祯十一年冬，苏州承天寺狼山中房浚疏古井，僧人达始忽挖得一物，冲洗干净发现是一个铁函（即铁箱），打开后发现里面又有一个锡匣，匣内封有蜡漆，最里面有个纸包。是折叠成卷的《心史》稿本，内咸淳集、大义集、中兴集各一卷，共有诗250首，另有文30篇，前后自序5篇。全书深寄亡国之痛，对宋亡经过及蒙古征服后的时事言之甚详。这就是郑思肖《心史》发现的经过。

此书在清朝即遭遇诋毁的命运，先是有人称《心史》为"伪书"，但当即遭人反驳。当清朝大力钳制思想和言论自由，大搞奴民愚民把戏、兴起文字狱的血雨腥风之时，御用"三通"、"四库"馆臣正式判其为伪书，并编凑"理由"，同时官方又以"军机处"的名义"奉上谕"将其列入"应毁"书目。

"不信奴民终愚黯，人间应有未烧书。"经过清朝的文化过滤和信息屏蔽，我们还是能读到自由思想者的灵魂和泣血的悲歌。

与郑思肖自由思想相呼应的是，宋国遗民们通过诗歌吟唱的结社。

想象在1287年春天，兵火战乱的余痛还回荡在人们心中。在浙江浦阳，吴渭（清翁）组织的月泉吟社，延请乡遗老方凤、谢翱、吴思等人评审诗歌比赛的作品。当时出的题目是《春日田园杂兴》，体裁是五七言律诗。共收得2 735卷。最后罗公福（连文凤的化名）诗获得第一名："老我无心出市朝，东风林壑自逍遥。一犁好雨秧初种，几道寒泉药旋浇。放犊晓登云外垄，听莺时立柳边桥。池塘见说生新草，已许吟魂入梦招。"

无心出市朝，就是坚决不与征服者合作。在亡国的创痛中，人们理性而克制地表达了自己的独立追求。若干年后，连明朝的士人都羡慕当时的结社："噫！安得清翁复作，余亦欲入社厕诸公之末，幸矣夫。"

1653年，吴中慎交、同声两社在苏州召集的虎丘大会，弥合两社分歧。这次大会声势很盛，东南各郡到会的士人有近千人之多，慎交、同声两社共同推戴吴梅村为盟主，调和双方冲突。当时的情形可谓盛况空前，"以大船廿余，横亘中流，每舟置数十席，中列优倡，明烛如繁星，伶人数部，声歌竞发，达旦而止"、"山塘画舫鳞集，冠盖如云，亦一时盛举"。

然而征服者和奴隶主的眼睛是雪亮的，他们早就看出了这种结社自由的危险。幕后的收买工作正在紧锣密鼓地进行，当年秋天，社团领袖吴梅村无耻叛变，被清廷授予祭酒（相当于大学校长）之官职，当他被召时，三吴士大夫皆集虎丘会饯之。酒半，忽有少年投一函，启之，乃绝句一首，诗云："千人石上坐千人，一半清朝一半明。借问娄东吴学士，两朝天子一朝臣。"举座默然。

清廷确实手段狠辣，一方面怀柔安抚做戏，包括康熙、乾隆在明太祖陵前叩头的把戏；一方面出重拳铁索追夺言论自由、写作自由、出版自由的命，创下了空前的文字狱历史，以无边的恐怖巩固其专制奴役的权力。

若干年后，孙中山在评价清朝政权时也说："在满清二百六十年的统治之下，我们遭受到无数的虐待，举其主要者如下：……（六）它们压制言论自由。（七）它们禁止结社自由。……"

东方拜占庭——大宋已永久沦陷。1285年（一说为1284年，《中国历史大事年表》一书称1278年），几个乞丐模样的人来到会稽山中，悄悄地拾取了一堆骨骸。那一年，蒙古汗国总统江南释教的杨琏真珈（江南释教头目）为了盗取宋皇陵中的宝藏，把在会稽的徽、钦二帝以下的宋朝历代帝王后妃的陵墓全部发掘，把剩骨残骸抛弃在草莽中，惨状目不忍睹。消息传出，人们悲愤交加，但暴政之下，无人敢去收拾。林景熙当时正在会稽，出于民族义愤，与唐珏等义士扮作乞丐（一说扮作采药人），冒着生命危险，上山拾取骨骸。林景熙收得残骨两函，埋葬于兰亭山中，并移植冬青树作为标志，写下了《冬青花》诗："移来此种非人间，曾识万年觞底月。蜀魂飞绕百鸟臣，夜半一宗山竹裂。"又作《梦中诗》四首，凄怆地记录了埋骨的经过，书写下自己的悲愤，并坚信读到这些诗的人，会知道民族正气依然存在，没有随着国家的沦亡而完全消失。

2006 年，凌沧洲先生在古大都皇城，不是读历史著作发现这一线索，而是读宋诗的注解，才摸着这一蛛丝马迹。历史在这里已经变得讳莫如深，面目模糊。一些公开出版物中，不仅所谓的蒙古汗国以王朝史实代替，一概称之元朝，连 1271 年前的蒙古汗国历史也进入元代大事年表，要知道，这一年才有了元的称号。在一些历史著作中，甚至吹嘘记录蒙古屠杀的《蒙古秘史》为"神鹰飞扬"！

东方拜占庭——大宋国沦陷的历史意味着一个古老文明的终结。这个文明尽管有种种黑暗，但也无法掩盖其光辉——对文化和诗歌的热爱，对士子的尊重，有限的言论和结社自由；而被蒙古大军征服之后，这有限的自由和光芒已完全坠入黑暗。蒙古汗国基本上是一个奴隶大杂院，不仅以其四等人的划分和歧视界定了这个文明的愚昧和野蛮，而且在此国中，无数人沦为奴隶，与畜生无异。

> 黑风夜撼天柱折，万里风尘九溟竭，
>
> 谁欲扶之两腕绝，英泪浪浪满襟血。
>
> 龙庭戈铤烂如雪，孤臣生死早已决。
>
> 纲常万古悬日月，百年身世轻一发。
>
> 苦寒尚握苏武并，垂尽犹存果卿舌。
>
> 膝不可下头可截，白日不照吾忠切。
>
> 哀鸿上诉天欲裂，一编千载虹光发。
>
> 书生倚剑歌激烈，万壑松声助幽咽，
>
> 世间泪洒儿女别，大丈夫心一寸铁！
>
> （林景熙《读文山诗》）

　　13 世纪末，我们的先辈林景熙写出"膝不可下头可截"，"大丈夫心一寸铁!"他的自由精神、特立独行的风骨，难道不值得我们回忆景仰吗?!

他们在权力剃刀边缘行走

> 一个雅典公民在干他自己的私事时
> 不会漠视公众事务……我们不是把那些对国家
> 漠不关心的人看做无害，而是看做无用；
> 而且，尽管只有少数几个人可以制定政策，
> 但我们所有的人都可以评论它。
> 我们并不认为讨论有碍于政治行动，
> 而是认为这是明智行动的不可缺少的首要条件。
> ——伯里克利
>
> 天地有正气，杂然赋流形。下则为河岳，上则为日星。
> 于人曰浩然，沛乎塞苍冥。皇路当清夷，含和吐明庭。
> 时穷节乃见，一一垂丹青。在齐太史简，在晋董狐笔。
> 在秦张良椎，在汉苏武节……
> ——文天祥《正气歌》

这是一趟发现之旅，去追溯我们先民们言论勇气的源头，去发现自由和特立独行的精神怎样在岁月的河流中沉没、消失；这是一个关于古代世界的官员和文化人不畏强权、探索言论空间和极限的故事，他们因为大胆言论和上书，因为关心国家和同胞，而把自己置于危险的境地，仿佛行走在权力剃刀的边缘——这个故事，也可以称为古中国勇气与信仰的故事。

跪着，但是有相对的言论自由

公元前 178 年，汉文帝废除诽谤、妖言罪，展示了一代明君的

理性与宽容。汉文帝说："古代治理天下，朝廷有进善之旌，诽谤之木，所以疏通治理的道路，同时也接纳建言的人。现在的法律中有诽谤妖言之罪，这使众臣不敢尽情言说，而君主没办法听到自己的过失。这怎么能招徕远方的贤良之人？应该废除这条法令。老百姓有咒骂皇上的，官吏认为是大逆，要有别的言论，而官吏又以为诽谤。这是小民之愚昧无知，却要处死，我很不同意。自今以后，有触犯这条的不要加刑。"（《史记》《汉书》中均有记载）

汉文帝

也就是说，至少从国家的法理上来说，言论的空间大大增加了，批评后被迫害的恐惧感大大减少了。比起秦帝国对言论的打压，汉文帝确实是中国古代历史上闪耀人道主义光辉的统治者。当然，你可以质疑：帝国君王的旨意能落实到哪个层面，嘴上说的、文件上写的，与实际情况有多大反差？

公元前84年，孔僖、崔骃因在太学议论汉武帝而被人告发，说他们"诽谤先帝，讥刺当世"，孔、崔随即受到审讯。孔僖上书说自己只是"直说书传旧事"，汉昭帝下诏命令不要追究，还拜孔僖为兰台令史。不仅没有追究批评言论者的罪责，还给了他一个官职！

当我们为司马迁因言论被投入监狱，因无钱赎罪被阉割而悲痛的时候，也别忘记：在古代中国的黑暗中，也曾经有过人性的光芒，也曾经有言论相对宽松自由的时期。

汉帝国末年，朝政混乱，统治者的治理能力和鉴别力急剧下降，外戚与阉奴也时时在朝中把握权柄，正直之士面对黑暗的时政，表现出了极大的言论勇气，值得我们反复回味。

公元142年，汉帝国的朝廷委派八个使者去巡视社会风俗，这些人都是一些德高望重的知名老儒生。只有张纲年轻，职位和资历都浅。其余的人接到命令后就立即启程，而张纲却独自埋轮于洛阳都亭，说："豺狼当道，何问狐狸！"他用埋轮表示了对邪恶的蔑视，看清了豺狼盘踞而拿狐狸开刀的荒谬。于是上书，指出大将军梁冀受外戚援引，元凶恶首，贪残无度，一心贪财，培养一群马屁之徒，陷害忠良，应该处以极刑。

要知道，那时梁大将军的妹妹是当朝皇后，正得到皇帝的宠爱，而朝中也遍布梁家的人马。这篇上书让京师震动，皇帝虽然没有采用，但也没有加害上书的人。大将军当然也不能明目张胆地收拾张

纲，只能下绊子给张纲穿小鞋。这时正好广陵张婴等人起事，杀刺史、聚众数万人。梁大将军暗示尚书，任命张纲为广陵太守，想借机攻击陷害他。

张纲不仅有勇而且有谋，他单车到广陵上任后，只带吏卒十几人直接来到张婴的阵地，晓之以理，动之以情，劝说张婴投降。张婴哭了，说："边远愚人，不堪官吏的压迫欺侮，聚集在一起，苟且偷生，好像鱼游釜中，只喘一口气罢了。"随后，张婴带着一万多人投降了。一年后，张纲在任上死去，老百姓扶老携幼，前去郡府哀悼的人不可胜数。

汉顺帝的时代，帝国虽然已经开始衰微，但是仍不乏明智的官吏为开放的言路而鼓与呼。有一个名叫赵腾的人上书说灾变，讥刺朝政，皇帝把写给自己的信批转到有关部门，管事的人把赵腾等人逮捕起来拷问，牵连了八十多人，罪名都是诽谤朝廷的言论罪，有关部门还准备给这些人施以重刑。这时朝廷重臣张皓先生致信给皇帝劝谏道："我听说尧舜设立敢谏鼓，三王设立诽谤木，《春秋》采好事、写恶事，贤明的天子，不加罪于草野的小民。赵腾等人虽然与朝廷的意志拧着，没有统一思想，但他说话是想尽忠提

东汉顺帝

建议。如果这样也会被诛杀，那么提建议、提不同意见的源头就会被堵塞，这不是弘扬道德以做天下人表率的方法。"《后汉书》记载，皇帝竟然感悟，而减了赵腾的死罪一等，其余的人只判了两年的监禁。

这是汉帝国时代的言论空间，因皇帝个人的秉性气质与好恶而伸缩。

比起秦暴君的焚书坑儒已经有了一定的进步，但相比同时代的古希腊和古罗马，汉帝国在言论自由和探讨公共事务的自由度上，却已经是大大落后了。

这是跪着的年代，言论自由，有时看上去好像是有，但大多数时候，那几乎是要付出肉体和精神被摧残、被毁灭的代价的。

在权力的阴霾下抗争

公元 146 年，帝国朝廷的权力斗争更加白热化，一场卑鄙的政治谋杀正在上演。

大将军梁冀的地位炙手可热，他极力要控制废立皇帝的局面。145 年，梁冀就不顾太尉李固的反对，立了八岁的刘缵为皇帝，以为好操控。谁知这个少年皇帝虽然缺乏大智慧，却聪明异常，竟当着朝臣的面，注视着梁冀说："你是跋扈将军。"梁冀担心皇帝的聪慧将产生后患，叫左右进献了鸩毒。少年皇帝痛苦不堪，派人把李固也召来了。李固问："陛下怎么得的病？"皇帝说："我吃了饼，现在腹中胀痛得很，找到水来还可以活命。"当时梁冀在侧，竟然说："恐怕呕吐，不能喝水。"话音未落，皇帝已经死了。

李固身处权力旋涡中，是那个年代国家的良知，是那个年代正

直勇敢的发言人。早在 133 年，李固就与经学家马融、科学家张衡一道被荐举到朝廷。在对策中，李固名列第一，被拜为议郎。李固的对策主张斥退宋阿母（顺帝乳母），罢退一些宦官。顺帝看后，多有所采纳。但是宋阿母身边的一些阉奴，嫉恨李固的言论太直，就捏造罪名来陷害李固，多亏那时的大将军梁商和仆射黄琼的庇护，李固才得以免去一灾。

当 146 年这桩政治谋杀完成后，梁大将军又要立自己中意的刘志为皇帝，因为他的妹妹就要嫁给刘志了。李固、杜乔等人想立刘蒜，李固还写信给梁冀："国家立帝，没有不访问公卿，广泛征求意见的，务必要上应天心，下合民愿。悠悠万事，唯此为大；国家兴衰，在此一举。"

讨论国家元首大位属于谁的会议在第二天继续进行，梁冀气势汹汹，言辞激烈。绝大多数官员都非常害怕，都说："只要大将军发令就是。"唯有李固、杜乔坚持意见，不为所动。梁冀气急败坏，大声宣布："散会！"

散会之后是会后的权力运作和密谋，路障必须清除，钉子必须拔掉。梁冀会后找到太后，先罢免了李固的官。刘志也就顺利"当选"为汉帝国的皇帝了。

一年以后，刘文几个人又想立刘蒜为天子，梁冀就借机诬陷李固与刘文等人散布妖言，将他们关进监狱。杜乔也被梁冀派出的骑兵逮捕入狱。

当李固、杜乔沦落于权臣之手时，汉帝国的民气并未凋零——

李固的门生们带着枷锁上书，为李固鸣冤。赵承等数十人也愿意带着刑具到朝廷申诉，太后明白这些人的意思，就赦免了他们的罪，当赵承等人被放出牢狱，京师的老百姓们都高呼万岁！这种民意令梁冀大感震惊与恐惧，他害怕李固的道德和声望对自己有大害，于是再一次在君主那里力奏前事，肯定是上了一堆不肯帮助刘志登基的"眼药"，最终，朝廷下了杀手，杀害了李固。

李固的两个儿子李基、李兹也被逮捕，都死在了狱中。他的小儿子李燮逃亡。但梁冀还不解恨，命令把李固的尸体暴露于交通要道上，有敢接近的人就治以重罪。但

东汉桓帝

是帝国的专制恐怖并未阻断民众的勇气。年轻的汝南人郭亮，游学到洛阳，他向朝廷上书，请求为李固收尸。朝廷不许，郭亮就到李固尸体旁哭泣，陈词于前，守丧不去。夏门亭长呵斥他说："李、杜二公为大臣，不能让君主觉得安全，而无端兴事。你是什么书呆子，竟敢公然违背诏书，想以身试法不成？"郭亮说："义之所动，岂知性命，怎么能用死亡来吓住我呢？"亭长叹息说："生活在不能安全保命的世界里，天高不敢不弯腰，地厚不敢不累足。耳目也许可以视听，嘴却不可以妄言。"太后听说这件事后，没有杀郭亮。南阳人董班也前往哭李固，要与尸体共存亡。太后动了恻隐之心，于是听任董班把李固的尸体收敛归葬。

曾经有位汉帝国的知识分子和官员，当他做到平原令的时候，感觉朝廷黑暗，阉奴横行，不愿屈身事权，于是借口身体虚弱，回家养猪去了。这个人就是杜乔的门生、陈留人杨匡。当他听说杜乔死亡的消息，号泣着星夜兼程赶到洛阳，假装是夏门亭吏，

守卫尸丧，驱护蝇虫，长达十二日，终于被官员捉拿。梁太后觉得此人义气而不加罪于他。杨匡于是带着刑具到朝廷上书，请求收敛李、杜二公的骸骨，太后答应了他的要求。（均见《后汉书》）

梁冀权势炙人，夫妇俩比赛看谁更奢侈腐败，居然"对街起宅，备极奢靡，金银珠宝，异国珍奇，充斥仓库"，国家的将士在为开拓疆土而浴血奋战，梁大将军却把从大宛弄来的汗血宝马作为自己的玩物。又广开园圃，多拓林苑，还开了个兔苑遍布数十里，曾经有个西域来的生意人，不知禁令，误杀了一只兔子，人们辗转告发，牵连致死者多达十几人。梁冀的二弟曾偷偷派人到他的园子里打猎，梁冀知道了，逮捕宾客，杀了三十余人。同时还把无辜的百姓抓去作为奴婢，多达数千人，号称是"自卖人"。

汉代豪族门庭

159年，飞扬跋扈的梁冀先生好运到头。汉桓帝与宦官们密谋，派兵包围了梁冀的府宅，梁冀夫妇自杀。第二年，朝廷寻访李固后裔。李固的小儿子李燮改名换姓，逃亡十余年，终于能够回到家中与姐姐李文姬相见。请想象这一家人因为正直和言论付出的代价，请想象姐弟相见时的泪雨纷纷。姐姐告诫弟弟："幸而得到宽免，应该避免与人往来。谨慎些，不要对梁家说一句坏话，说梁家就会牵连到皇帝，大祸就来了！"

李文姬的话浓缩了一个家族的悲哀。这种因言致祸的恐惧越广泛，人们的勇气就越容易消亡，民族的性格就愈加猥琐。岁月的河流上，恐惧、创伤带给民族的记忆是深刻的。

153年，另一位中华民族的言论英雄刘陶先生以其勇气在历史上留下了光辉的一页。冀州长官朱穆因为反贪，得罪了阉奴赵忠。不仅被免了职，还被罚作工匠。太学生刘陶等数千人上书，为其鸣冤。想想这是何等浩大的声势，这是何等浩然的民气！数千知识分子不畏强权，为一个不相识的人，为正直的人呼吁呐喊。这个民族是老迈的吗？特立独行的精神被摧残干净了吗？在强大的民意压力下，朱穆被赦免。

在大将军梁冀专权的时代，连年荒饥，灾异常见。刘陶上疏陈事，奏章中对皇帝进行了言辞尖锐的指斥：

"陛下既不能为祖宗的典章增加光彩，又忽略了高祖的勤劳，国家的利器随便授人，国家的权柄也委托旁人，致使群丑官员和执掌刑权的人，残害小民，遗祸华夏，暴虐遍布天下，所以上天降下许多异象来警戒陛下。陛下不醒悟，反而竟令虎豹在鹿场里做窝，豺狼在春天的苗圃内哺乳。这是古代仁君治理国家、爱惜百姓的方式吗？再有，现在的各级官员，上下贪财，这好比肥猪长蛇，蚕食天下，为国家增加财富的人成了穷冤之魂，贫穷的人成了饥寒之鬼；高门招致杀身之祸，富裕的家族蒙受反叛的罪名；死者在坟墓中含悲，生者在朝野内外哀伤。这正是愚臣之所以经常长叹的原因。秦朝将亡时，直言进谏的人被害，溜须拍马的人得到赏赐，好的言论，忠臣轻易不敢说，国家的命运被操控在谄媚者手中……那时的统治者，权力不能掌控也不知道，失去了威严也不管不顾。古今都是一样的，成败一个道理。希望陛下能远看强秦的衰亡，近察哀帝、平帝时的变乱，得失昭然，祸福可见。"

　　这样措辞强硬的奏章，在此后多少年的历史中都极为少见，刘陶几乎预见到言论者的悲剧命运："我敢在这讳莫如深的年代说这么不合时宜的话，就像冰霜见日，必至消灭。我开始悲天下之可悲，现在天下也会悲我的愚蠢啊！"

　　这封书信送上后，皇帝并没有感悟，不予采纳。

汉武帝三币

　　155年，有人上书朝廷说百姓的贫困是因为"货轻钱薄"，请求改铸大钱。

　　皇帝把这个建议给百官和太学生们讨论。刘陶上书说："我以为当今之忧，不在于货，而在于老百姓的饥荒……我看见多年以来，蝗灾吞噬了良苗，纺织不能满足公私的需求，人间所急是早晚的粮食，所害怕的是国家的劳役不停，还谈得上钱货的厚薄？就算当今沙砾化为黄金，瓦石变为美玉，但若百姓渴了没喝的，饿了没吃的，就算再圣明，也不能保证不祸起萧墙。因为百姓可以百年无货，却不可一朝有饥，所以粮食是最急需的东西……我曾诵《诗经》，读到"鸿雁于野"的篇章，叙及百姓的劳苦，可怜之极，总是长叹。最近听到征夫饥劳之声，比这个鸿雁之歌更凄惨……我真怕最终役夫穷匠，在工地上把工具一扔，登高远呼，使愁怨之民，响应云合，八方分崩，国家社稷就不保了。到那时就算有方尺宽的钱，又怎能有救？这就像把犀牛一样大的鼎，挂在腐烂的木头尖上。"

看到了刘陶的上书，皇帝竟然不铸钱了。现代人尽可以说：刘陶是为了维护统治者的利益才这么说的，但是这篇奏章所显示的言论勇气和他的人文关怀却透过千年的黑夜闪烁着人道主义的光芒？

185 年，在张角等人起事，国家局势混乱的时候，刘陶再次上书言事，称：国家的灾祸由宦官而起。

言论之船这回可在朝廷触礁了。阉奴们岂能容言论如此嚣张，于是，捏了"通贼"的罪名，把刘陶投入了监狱。在黄门北寺狱中，天天受到鞭打拷问的刘陶选择了自杀。四海之内，士大夫和百姓无不悲痛。

一桩杀人案改变帝国言路的历程

166 年，一桩缉捕杀人罪案凶手的事件，点燃了帝国打压言论、迫害士大夫阶层的导火索。

帝国名士李膺时任河南尹，有一个名叫张成的人唆使儿子杀了人，李膺督促下属收捕他们。不久，遇上朝廷的特赦，张成获免，嫉恶如仇的李膺，竟然把张成逮捕处死了。早先，张成用算命占卜勾结宦官，皇帝也曾问过他的占卜。于是，张成的弟子就上书诬告李膺等"养太学游士，交结诸郡生徒，更相驱驰，共为部党，诽讪朝廷，疑乱风俗"。于是天子震怒，逮捕党人，布告天下，将李膺逮捕入狱，并牵连了二百余人，也有逃遁抓不着的，都悬赏通缉。帝国的搜捕者四面出击，道路上络绎不绝，形成了一片专制恐怖的景象。

帝国的英雄不只是那些在边疆奋勇杀敌的人，还有这些在专制

恐怖中敢于言说，敢于呐喊的人。

第一次党人事件时，帝国高官陈蕃上书皇帝：

"我听说贤明之君，信任辅佐的大臣；亡国之主，听不进耿直的意见……李膺、杜密、范滂等人，都是正人君子，忠于社稷。因为忠诚而忤逆了您的意思，现在横遭逮

李膺

捕、审讯，有的死去，有的流放。堵塞天下之口，将一世之人变成瞎子和聋子，这与秦朝的焚书坑儒，有什么两样吗？……"

这份上书对皇帝的指斥既大胆又尖锐，皇帝当然不高兴，找个理由就免了陈蕃的职务。

第二年，尚书霍谞、城门校尉窦武上书为党人求情，皇帝的怒气稍解，于是都赦归田里，终身不得录用。而党人之名，还记录在王府中。

《后汉书》上记载：从那以后，正直的人被废弃不用，邪恶之徒的气焰日益高涨。

党人的称谓，在中国漫长的历史中，成为相当负面的词汇，甚至到了宋代，元祐党人一开始也是被贬低打压的。但是汉帝国末年的党锢之祸，固然源起于党人们的嫉恶如仇，源起于党人们坚持以正直改变邪恶的社会风气，但是其中名士们与太学生们的集结，已经很有些结社的雏形了。

这是专制尚未达到极端的年代，在士大夫层面、在朝廷官员的层面，由于理念上的相通，形成了对皇权的很大的压力。可惜这种势头因为皇权和阉奴们的打压，只是昙花一现，没有形成一个有效的权力制衡系统和惯例。不仅如此，集结的趋势被遏制后，士气和言论空间进一步被摧残……最后演变成征服者王朝大清"万马齐喑"的状态。

张俭

169 年，党锢之祸再起。阉奴侯览家在防东，残暴百姓，为所欲为。张俭揭露弹劾侯览及其母的罪恶，请求朝廷诛之。侯览扣下了这一奏章，怀恨在心。张俭的同乡朱并，素性佞邪，为张俭所看不起，对此朱并一直耿耿于怀，于是就上书告发张俭与同郡24人为党，朝廷颁布命令捉拿张俭等人。张俭被迫亡命天涯，狼狈不堪，夜晚只好到处投宿，百姓们莫不重其名行，宁可家破人亡也愿意收留他。连前来追捕他的官兵头目都感于他的名气品行，叹息而去。张俭出塞，幸免于难。他所经过、借宿的人家，被杀害的有十几家，有的连家族都被株连，郡县也为之残破。

这是什么样的恐怖年代，又是什么样的民气未衰的年代，人们对于正义的渴望和追慕，人们对于暴政的蔑视和反抗，人们收容流亡者的勇气，这些无名勇士的人数与规模，是我们先民可歌可泣的章节。《后汉书》的史家评论说："张俭激怒了皇帝，颠沛逃命，天下闻其风者，莫不怜其壮志，而争相做他的东道主。甚至不惜为此

弃城丢官、破族屠身，大约有数十百起，难道不是贤人所为吗！"

名士范滂，第一次党锢之祸就被关押在黄门北寺狱。狱吏准备拷打囚徒，范滂看见同囚的人体弱多病，就自请先挨打，与同郡的袁忠争着受毒打，后来被释放。

在公元 169 年的迫害狂潮中，朝廷大诛党人，诏命急捕范滂等人。督邮吴导接到命令，抱着诏书，关闭驿舍，伏床而泣。范滂听到后，说："一定是为了我。"于是自己投奔监狱。

县令郭揖大惊，要同范滂一起逃亡。

郭揖问道："天下辽阔，你为什么还在这里呢？"范滂回答："我死了大祸也就停止了，怎敢以罪牵连您，又牵连老母颠沛流离！"

范滂与他的母亲诀别时，对母亲说："仲博孝敬，足以供养您，我随着龙舒君一起奔赴黄泉，存亡各得其所。只是请母亲不要伤悲。"范滂的母亲说："你现在得与李膺、杜密齐名，死亦何恨！既有美好的名声，还要长寿，可能兼得吗？"范滂跪而受教，再拜而辞。回头又对他的儿子说："我要教你作恶，可是恶是不能做的；我要教你为善，可是我生平并没有作过恶，却得到了这样的下场。"路上的行人听说后，没有不流泪的。范滂时年仅 33 岁。

这是怎样的乱世，怎样的英雄时代，素不相识的人为了义，可以牺牲性命；当官的为了正直的逃犯，可以弃官一起逃亡；母亲教育儿子要为大义和荣誉而勇敢，要舍生取义。古中国的先民们，你们的英风豪气尚存否？

浩气还太虚，丹心照千古

11、12 世纪，中国仍然涌现出不少这样的汉子。陈东、欧阳澈、马伸等人就是当时的"言论英雄"。

陈东、欧阳澈因为议论国家大事而激怒了皇帝赵构。当皇帝派去的夺命官吏要逮捕陈东时，陈东笑着说："我是陈东，害怕死就不敢说话，已经说了还肯逃避死亡吗？"

马伸常说："我志在行道。以富贵为心，则为富贵所累；以妻子儿女为念，则为妻子儿女而改变志愿，道不可行也。"还说："孔子言：'志士不怕抛尸在沟壑，勇士不怕丢掉自己的脑袋。'今天是什么日子，那深沟是我死亡的地方。"

因为勇敢地言说国家的事务，马伸被贬官放逐。在流放的路途上，当权者害怕这勇敢者的声音，遂将之谋杀。

即使在明代，你仍可以感受到这些英雄的豪气，海瑞备好棺材向皇帝讽谏；与权阉们作斗争时涌现出的一批批正直勇敢的人：冯恩、杨爵、周怡、沈束、沈炼、杨继盛、杨涟、左光斗……

他们在黑暗时代发出的良知的声音，岂会在历史的长河中湮灭？！

权力刀锋

——追寻大清王朝的真面目

窃国大盗们把所有不向他们宣誓效忠的人
宣布为乱臣贼子。
——孟德斯鸠《波斯人信札》
来，阴沉的黑夜，
用最昏暗的地狱中的浓烟罩住你自己，
让我的锐利的刀瞧不见它自己切开的伤口，
让青天不能从黑暗的重衾里探出头来，
高喊："住手，住手！"
——莎士比亚《麦克白》

圣朝特旨办丧葬，一队"杀手"下"贤良"

北京，1730 年。正是雍正统治期间，帝国吹吹打打落成了贤良祠。

据称，"贤良祠是祀王公大臣之有功于国家者。清世宗宪皇帝御书额曰'崇忠念旧'。贤良祠初祀王、公、侯、大学士、尚书、左都御史、都统、将军、总督、巡抚、副都统共 78 人，后增祀 21 人。总共祀 99 人。"

凌沧洲没有去过贤良祠，读《清史稿》的时候屡屡见到一些朝廷大佬死后被隆重追悼，不仅皇上发放丧葬费白银 500～1000 两不等（郭成康先生在《乾隆大帝》中说，乾隆年间一两白银折合现在的人民币是 150～200 元，丧葬费也就在 10 万～20 万元了），而且还精心研制死后的称号——谥号，也就是朝中大佬要戴一项什么样的精神顶戴花翎，去见他们的老祖宗努尔哈赤。最后是丧亡后，能进入哪种祠庙，关系到生前的业绩道德评价，关系到死后的荣誉规格。

雍正朝服像

第一等的朝中大佬，如三朝元老张廷玉，雍正腊肉（此称谓乃凌沧洲先生之发明，其来源后文有详述。）答应他死后配享太庙——在太庙犄角旮旯里给他挤个地方坐坐，也闻点皇家冷猪肉的残香。1749 年，张廷玉要退休回原籍，因为雍正遗诏中答应他死后配享太庙，但现在是新腊肉高悬执政，会不会执行老腊肉的遗言，此老有点不放心，请求乾隆腊肉给他一纸承诺，作为凭据。这样不放心腊肉，此老是不是老糊涂了？同时由于他没有立即前往宫中亲自谢恩，乾隆腊肉很不高兴，几乎要传旨对张廷玉加以

诘责。要不是朝中同僚和门生后学援手，临退休，张廷玉还得给腊肉呵斥一顿。第二天一早，张廷玉赶紧屁颠屁颠地跑到宫中谢恩，才算逃过一劫。

　　第二等的朝中大佬，如果所谓的道德文章和政绩、忠心被腊肉认可，可以从祀孔庙。想一想，当孔庙的先贤们大嚼其冷猪头肉的时候，他们可是熬了多少年才成精的，有的都两千年的岁数了，而今大清国的后生们，也在孔庙的众"楼主"旁边挤个沙发、板凳什么的坐坐，吃点冷猪头肉的残羹，是何等荣耀！大清国的兴亡史上，只有康熙年间的三位名人，有幸挤入了孔庙，这三位即是汤斌、陆陇其和张伯行。这三个人，以大清的立场看，确属于清官、好官的行列，并且儒学功底深厚，也有著作问世。然而，放到文明的大视野看，这三个人也无非是大清的走卒而已，在稳定大清的吃人统治上，也没少立功劳。像汤斌不仅参与了清朝的宣传事业，出任辫子版《明史》的总裁官（要知道为了争夺明史话语权，大清初年的斗争无比激烈。朝野上下都在编撰《明史》，像庄廷鑨、戴名世也是因为写《明史》而丢掉了性命）。在鲜血淋淋的民间话语权被钳制的后面，朝中的编写者们谁不是踏着尸体和鲜血前进的呢！更何况，这些人为官一方，也以整顿民风的理由，钳制当地百姓的声音，比如，汤斌、张伯行都对当地的洗脑教育抓得很紧，把个什么《孝经》和其他儒学思想狠狠地灌输下去。汤斌甚至还焚毁所谓的"淫秽小说"（许多践踏言论自由的旗帜都写满了对淫秽的围剿，极权统治是一定要打压性自由的。当小脑袋开始揭竿而起，不服管制的时候，也就是大脑袋要开始压制的时候。从这个意义上推断，凡专制国家必是理论上禁欲的国家，反之亦然），为培养清帝国"思无邪"的合格忠臣和奴才尽职尽责。

陈宏谋

第三等的朝中大佬，如果一生没犯重大路线错误，没有明显腐化堕落的证据（主要是大贪污，至于搞个二奶什么的在清帝国属于正常），不仅给腊肉"精神按摩"得舒服，而且政绩斐然、政声良好，腊肉考虑他们死后把雕像送进贤良祠吃冷猪头肉。仅从《清史稿》中看，就有很多看上去像清官的朝中大佬挤进了北京贤良祠，比如刘统勋、刘墉父子、来保、刘纶、福敏、钱陈群、鹤年、吴达善、高斌、阿里衮、舒赫德、彭元瑞、陈宏谋、史贻直等。

美国的早期思想家安德鲁·汉密尔顿曾经有一段著名的法庭辩护，他说："对于高尚的人，失去自由，不如死。可是我们知道各个时代都会有那么一些人，为了晋升或虚荣，就随便帮助，不，来摧毁他们的国家。这使我想起不朽的勃鲁托斯说的话，当他看着凯撒的那些人——这些人都是大人物，但决不是什么好人——时，他说：'你们罗马人，如果我还能这么称呼你们的话，那么你们想一想你们在干什么，记住，你们在帮助凯撒打造锁链，正是这些锁链，他有一天会强迫你们戴上的。'这是每一个珍惜自由的人所应当考虑的问题。"

如果说凯撒这样的大人物都决不是什么好人的话，那么，贤良祠中这些吃冷猪头肉的家伙，这些在小民面前威风凛凛、在腊肉面前战战兢兢的"奴才"或"臣"，他们是些什么东西，不是很值得怀疑的吗？

江南贡院明远楼

他们是大清帝国的中流砥柱，是国之"肱股"，是腊肉要"念旧"、要推给天下人模仿的"崇忠"偶像，从大清的角度上来说，他们政治上是正确的，他们的工作作风是扎实的，他们的敬业精神是完美的，但是，从文明的大趋势看，他们又一个个都是大清这具专制僵尸的看坟人与守灵人，他们是维护大清统治最得力的人，许多人在镇压百姓的反抗上最得力，而更有一些人，直接参与了文字狱的制造，直接屠杀言论自由，稳固大清国的江山，指控他们是大清的帮凶、鹰犬，是自由思想和言论的"杀手"，应该是不成疑问的。比如，上面提到的名单中有出任督抚者，大清因为没有权力分治和制衡，督抚既是地方的最高行政长官，也是司法官，对当时发生的文字狱案，以及百姓的抗粮抗税等事件的镇压，手上的血肯定是洗不掉的。至于出任过刑部尚书、侍郎的，更是在镇压机器的核心部位卖命，说他们不是"杀手"，谁信？

　　清初，江山已经被腊肉们坐于臀下，开科"取士"，让天下英雄作狗刨状游入科举的考场，成为"招安"知识分子的重要举措，不过当时的知识分子中有许多人不屑这一招，但到了顺治三年再行会试，告病观望的众知识分子，都纷纷参加考试，有人做诗刺之：

> 圣朝特旨试贤良，一队夷齐下首阳，
>
> 家里安排新顶帽，腹中打点旧文章；
>
> 当年深自愧周粟，今日幡思吃国粮，
>
> 非是一朝顿改节，西山薇蕨已精光。

　　凌沧洲先生追慕古代讽刺诗人的"先贤遗风"，也作一首讽刺打油诗，吟咏朝廷鹰犬挤进贤良祠一事：

> 圣朝特旨办丧葬，一队杀手下贤良，
>
> 祠堂将有冷猪肉，家中已备哭丧棒；

人民悲愤泪万顷，朝廷赏赐银千两，

非是一朝黑白混，志士刨棺官荣光。

弘历年间的鹰犬，像尹继善死后，腊肉就赐祭葬，发丧葬费5000两白银，合人民币将近百万之巨！尹继善进没进贤良祠，《清史稿》中没有说明，但在书中，老尹是大大的贤臣清官，可别忘了，正是1751年，老尹在两江总督任上，当时云贵和山东发现了"伪撰奏本、朱批"，"旋据江督尹继善奏报线索，派员赴江南查办。"（见《中国历史大事年表》，上海辞书版）。透过尹继善附庸风雅的一面，人们完全可以认清其盖世太保的真面目，正是他大力搜索情报、向上反映，促成了文字狱的恐怖继续向江南蔓延。

"志士刨棺官荣光"一句，指的是：大清绵延数百年的文祸，摧残自由和民气的手段以刨开仁人志士的棺木戮尸为家常便饭，那些落实执行大清腊肉刨棺戮尸令的帮凶官员，肯定不以为耻，反以为荣！

在雍正腊肉落成贤良祠的60年后，位于欧亚大陆西侧的法国，人们也在为纪念死去的人而大兴土木。巴黎市中心塞纳河左岸的拉丁区，法国的先贤祠（lePantheon）于1791年建成，是纪念法国历史名人的圣殿。看看法国人纪念了哪些先贤，他们的先贤与清朝的"贤良"有什么质的区别？

先贤祠内安葬着伏尔泰、卢梭、维克多·雨果、爱弥尔·左拉、马塞兰·贝托洛、让·饶勒斯、柏辽兹、马尔罗和大仲马等。至2002年11月，共有70位对法兰西作出非凡贡献的人享有这一殊荣。

据说，路易十六在没上断头台前，读到了伏尔泰与卢梭的著作，他说：这两个人摧毁了法国。

伏尔泰一生致力于探索自由、反对专制。1778年，84岁的伏尔泰去世，教会拒绝把他葬在巴黎，1791 年，法国大革命爆发，他的遗体被迁葬在巴黎先贤祠，并补行国葬，他的心脏，被装进一只盒子，存放在巴黎国家图书馆。

伏尔泰、维克多·雨果、爱弥尔·左拉等人都经历过流亡的颠簸，不能像大清国的"贤良"们居庙堂之高、享富贵之尊。像雨果，不仅写出了《巴黎圣母院》、《悲惨世界》、《九三年》等世界文学名著，更致力于反对暴政；左拉，在他老来已经进入法兰西学院，成为所谓"不朽的人"的时候，为一个并不相识的人——德雷福斯呼吁，写作《我控诉》，而被迫流亡英国……这些大写的人，这些高尚的人生，岂是腊肉治理下的大清鹰犬能望其项背的？

法国的先贤祠不仅供奉着伟大的思想家、文学家、艺术家，也供奉法国的民族英雄让·穆兰。1943 年，曾任查尔努瓦卢省的省长，后积极组织地下抵抗的让·穆兰，被德军抓入监狱。在监狱中，他备受折磨，痛苦地死去。

我们的目光再从法国转移到英国的祠堂墓地。

西敏寺是英国历代君主加冕的地方，也埋葬了不少英国帝王和名人。这座教堂值得参观的地方很多，其中包括大祭台前英国君主加冕所用的宝座、埋葬了英王亨利七世和王后的豪华壮丽的教堂、英女王伊丽莎白一世的坟墓、圣爱德华的圣骨匣、纪念英国文人的所谓"诗人角"（Poets' Corner）和西敏寺博物馆等。诗人们能埋骨西敏寺，靠的是诗才；而王侯则往往凭借自己的地位和血统，哥尔德斯密斯曾嘲笑这类人的无能，说他们唯一"擅长的就是在西敏寺留下一座坟墓。"（见哥尔德斯密斯《世界公民》）"诗人角"里，有这些诗人们的墓石和雕像：乔叟、莎士比亚、德莱顿、拜伦、劳伦斯……据我所知，在莎士比亚的戏剧中，在拜伦的诗歌中，自由也

是他们曾经吟诵的。

北京贤良祠里的大清权贵，其中肯定不乏附庸风雅的诗人，他们甚至写得一手上好的书法，与腊肉们进行过诗歌吟唱。但是，朝廷中这些粉饰太平的诗歌，有哪一首流传到了今天？又有哪一首走向了世界？

因为他们的内心充满了黑暗、血腥与卑污，因为他们的膝盖是常跪下而头颅是常触地的，因为他们的奴性，他们不可能写出充满人文关怀和自由精神的力作。

看一个时代的魂魄和走向，不需要看别处，但看其祠堂里供奉的是哪种人就明白了。

谎言的谱系和选择性记忆

先看看《清史稿》里这些肉麻的吹捧。看着这些吹捧，你会感到辛亥革命仿佛并未发生，大清的腊肉和奴才们还活着似的：

吹捧康熙腊肉的——

康熙天生仁孝，智勇双全。早承大业，勤政爱民。经文纬武，寰宇一统，虽说是守成，实同开创啊。圣学高深，崇儒重道。在日理万机之余，研究学问，穷天人之际，是古今所没有的。而久道化成，风移俗易，天下和乐，克致太平。其雍熙景象，使后世向往流连，至于今不能已。传曰："为人君，止于仁。"又曰："道盛德至善，民之不能忘。"啊，康熙盛世何其伟大啊！

吹捧雍正腊肉的——

清圣祖康熙政尚宽仁，世宗雍正以严明继之。评论者把他们比作汉代的文帝和景帝。只是文帝的兄弟之谊，似乎还不够深厚。然而淮南王骄横犯上，有自取之咎，不尽出于文帝之寡恩也。雍正帝研求治道，尤其忧患下吏之疲困。有近臣言州县收入进账多，应该减少其俸禄。雍正训斥："你没有做过州县官，怎么知州县官的难处？"这话说得太好了，可谓了解行政的关键啊！

吹捧乾隆腊肉的——

乾隆正逢昌盛之时，励精图治，开疆拓宇，征讨四方的反叛者，繁荣文化，发展军备，使各方面都达到鼎盛。在位时间之长，同于康熙帝，而寿命则超过了他。自夏商周以后，未尝有也。只是到了老年有所松懈，受了奸臣的蒙蔽，使日月般的圣明受到损害，令人为之叹息。

吹捧大清国高级奴才的——

乾隆间要说高级官吏中的贤者，以尹继善与陈宏谋为最。尹继善宽和敏达，临事从容有余，陈宏谋劳心焦思，不分昼夜，百姓都很感激他们。陈宏谋学养深厚，每到一处都关心民风，这正是古代所谓大儒的风范。

……

马屁年年有，清史特别多。

这本《清史稿》由大清国遗老们编成，这些遗老多是当年大清国的中高级官吏，属于典型的既得利益者，民国革命后成了文史馆员，已不复当年威风，怀想往昔的美好岁月，当然屁股往哪边歪，笔墨往哪边写，是一清二楚的。

如果没有其他文明作比较，如果没有其他政体作比较的话，或许，这三根腊肉和这一堆奴才，也算得上明君、贤臣。然而坐标系

赫然矗立在那里，在他们的时代，世界
文明又朝前跃进，而征服者的自卑和恐
惧，掠夺者的贪婪与残暴，驱动他们必
定会向前朝的百姓下残暴之手，制造一
起起的文字狱和其他血案。

你可能会觉得奇怪，为什么大清帝
国如此黑暗、血腥、残暴，而当时为其
歌功颂德的文字还不绝如缕——那你就
必须明了：历史的话语权掌控在谁
手上？

据说，文学弄臣、大清奴才纪晓
岚，在乾隆腊肉的五十大寿时曾作了一
副让腊肉欣赏的对联：

> 二万里河山，伊古以来，
>
> 未闻一朝一统二万里，
>
> 五十年圣寿，自今而往，
>
> 尚有九千九百五十年。

该联可以说是古今马屁绝联第一。
比起大清电视剧中唱的"我真的还想再
活五百年"，气势宏大得多，马屁的分
贝高得多！

如果专制的思想不探索清楚、分辨
清楚、讨论清楚，邹容说的"一千年
后，中国人也必为奴隶"的预言恐将成
为现实，而奴隶主子们喝血的梦想也将

纪晓岚

得以成真。

大清奴才纪晓岚的梦想比邹容的预言又多出了八千多年，好一个"五十年圣寿，自今而往，尚有九千九百五十年"！

萧森杀气来关外，沧海浮云变古今
——对历史话语权、诠释权的争夺

1642 年，大明帝国的都城北京还未沦陷。大清正在东北边陲蓄势待发，准备给大明帝国以致命一击，其内部却发生了一桩言论和文字的罪案。这起文字狱多半为后世研究者忽略，是否是大清第一桩文字狱，凌沧洲目前尚不能下结论，但至少比广东僧人函可的案件早了好几年，而且以大清一位汉族文人人头落地而结案。

故事的起源是这样的，在大清与明帝国争夺东北期间，上升期的大清攻城掠地，一批汉族士人投降了大清，而大清又有效地笼络了他们。这其中，有沈文奎、沈文全等人，孙应时也可能是这样的汉族士人，与沈文奎同时入值文馆。祝世昌，算是投降大清的明帝国军官，参与过大清攻打大凌河的战役。

祝世昌在 1633 年曾经奏请皇太极攻伐大明帝国，并为其出谋划策：

> 攻城当专用红衣炮，国中新旧三十余具，沈阳留四具，城守已足，其余都可随军。师行克城邑，当得练达谨慎之吏，不求小利，不贪财贿，乃能收集民心、保疆土，宜预选令从军备任使。用兵当兼奇正，轻兵先发，夺人畜，掠物资，然后整军挟红衣炮自大道徐进。

此处国中，指大清国。

皇太极

这个时候的祝世昌，可以看做是大清忠心耿耿的好奴才。

然而在九年之后，不知是祝世昌良心未泯还是怎的，1642 年，他上了一道奏折给皇太极，请求禁止俘获良家妇女卖入风月娱乐场所当三陪妓女。皇太极大怒，发下指示——

"世昌难道不知道我禁乐户？还要写这公开信？不过偏袒汉人，借机沽名钓誉而已。我想世昌身在我国，内心仍把明国作为故乡。"

一场狱案随即兴起。会审结果，判定祝世昌死罪。"其弟世荫同居，知其事，启心郎孙应时为其改疏稿，都得处死。礼部官员姜新、马光先见疏稿称善，当夺职坐罚"。皇太极命令杀掉孙应时，而假意宽大，把祝世昌、祝世荫流放。

孙应时何其不应时也！在大清国草创的宣传作坊，在大清国初期的文化宣传方面，孙也曾经和沈文奎等人共同为其出过谋，划过策。像范文程、沈文奎等都向主子提到过"多疑好杀，百姓离心。攻伐抢掠，百姓以为我们只是看重金帛子女。"这些高级奴才都向主子建议要有长远战略眼光，要立"人心"，变短期抢掠为"长期搜刮"。应该说，这些建议，在大清征服中土时起了很大作用。

但是祝世昌、孙应时这几个人可能又或多或少没有彻底丧失人性，对于俘获汉家妇女卖到妓院这种事情，有一种人道心和同情心在起作用，因此促成了上书。

而野蛮的专制政体是不容许任何异议的声音的。之所以杀孙应时而保住了祝世昌的命，也说明了：一、专制政体是功利的，武将的用处比文人要大，刀剑的力量胜于口舌的力量，对武人宽大而严加惩处文人，算计上合理。君不见曹操杀杨修吗？二、知识分子的独立思维一定要泯灭，因为这对专制政体的危害远大于一场武装叛乱，所谓"破山中贼易，去心中贼难"。任何独立的思想、人道的呼

吁，都是对野蛮王权的公然挑战。

孙应时必须死，祝世昌必须受到惩罚。内部人都不能容忍异心，更何况是圈外人。

1642 年的血案昭示着大清掌控整个中国，征服整个中国后的杀机，大清自己称为江山一统，而在凌沧洲看来，铁幕就要从东北向关内合围，血腥和黑夜将降临到本已苦难，本已昏暗的中国大地……

17 世纪 50 年代左右，历史并不像历史纪年表述一个朝代的开篇那样尘埃落定，各地的抵抗还在进行，大清想统一天下的努力还必须进行一段时日。

在武力征服、镇压、屠杀的同时，对思想制高点的争夺，对意识形态的控制权的争夺，对历史的话语权、诠释权的争夺，一刻也没有停息。

1647 年，广东和尚函可身携带的一本记录抗清志士悲壮事迹的史稿《变记》，被南京城门的清兵查获，在受了一年严刑折磨后，此人被流放沈阳。次年，又爆出毛重倬等人的坊刻制艺序案，毛重倬为坊刻制艺所写的序文不书"顺治"年号，被大学士刚林认为是"目无本朝"，触犯有关"正统"的"不赦之条"。这几桩案件拉开了大清思想狱、文字狱的序幕。

大学士刚林何许人也？这位清朝贵族对大清如此忠心而对言论如此敏感，对打压言论如此敬业卖力，似乎可以称得上是大清的忠臣孝子了，然而其下场竟然也是被杀，不由让人感到专制权力下并无完卵。这位刚林算是大清的一个文化人，姓瓜尔佳氏，早年被授予笔帖式的职位，掌管翻译汉文的事宜。1636 年，此人被授予大学士之职。

在皇太极的扩张征服过程中，刚林多次奉命出使军前，宣扬皇太极的"威德"，让主子感到很满意。作为宣传方面的干将，大清的"肉喇叭"，刚林功不可没。1649 年，刚林出任《太宗实录》的总裁。1651 年，刚林因为在编辑《明史》的过程中发现缺少天启四年（1624 年）到天启七年（1627 年）的这几年的明朝实录，请求顺治下赦令悬赏求购；崇祯时期的事迹，如有野史、外传，也下令一并送来。刚林为了大清帝国的统一，可谓用心良苦。然而，有没有傻子上当，有没有人中了刚林引蛇出洞之计，我不知道。

充当专制极权的"肉喇叭"的下场，通常也并不美妙。刚林在多尔衮死后获罪，罪名是党附多尔衮，并且擅自修改《太宗实录》，增加多尔衮的功绩。刚林被杀，家产也被查抄。

透过充满谎言和迷雾重重的《清史稿》，我们仍能捕捉思想镇压和文字屠杀大戏的蛛丝马迹。有时，思想镇压仅仅是为了思想控制；有时，思想镇压与朝廷内部的权力斗争交织在一起。

1654 年，大学士宁完我弹劾曾任吏部尚书的陈名夏，罪名有 N 多条，但核心是：陈名夏曾对大臣们说："留发复衣冠，天下即太平。"

当此大清国专政时期，提出要"留发复衣冠"，不认同其文化风俗，当然是致命的叛逆之语。陈名夏在《清史稿》中被描述得很不堪，先是作为明朝兵部的官吏投降过李自成（《清史稿》没透露究竟为何投降），后又受到马士英、阮大铖的排挤，最后投靠了清廷。在清廷期间，官至弘文院大学士，晋升为少保，兼任太子太保等职。在宦海几度浮沉之后，面对清廷的审讯，陈名夏对宁完我的指控一一辩驳，抗辩不屈，唯独承认说过"留发复衣冠"的话，于是，陈名夏被皇帝下令处以绞死，家属流放盛京。

凌沧洲不知道这位历经变乱时代、宦海浮沉已久的陈名夏先生最后的心态，只能推测：在一个人的垂暮之年，在一个人看透沧桑尘事之后，在一个人人性未泯之时，他想起了他的故国家园，想起了自己死后的定位，于是带着他对异族文化的蔑视，决然走向刑场。

不然，何以解释陈名夏对其他罪行，如结党营私等都予以否定，独独承认这一条大罪？作为帝国高官，他应该比谁都清楚这是大清最重要的心理防线。还是其"留发复衣冠"的话有人对证，无法推卸？但他如果此时仍想苟活，完全还可以再做一番"是为了大清国稳定"的解释。历史并没有留下这样的记录……因此，或许可以这样推测，在一个人屈辱了一生，荣华了一生后，在一个人犯下许多无可追悔的错误后，才做出了这样一个一生中最重要的判断。

大学士宁完我何许人也？在努尔哈赤时代就已经投降了大清，是贝勒萨哈廉家的一个家奴而已。此人向大清统治者提出了很多建议，在他的奏言中，哪是大清国哪是别的国家分得很清楚："我国'笔帖式'，汉言'书房'，朝廷安所用书房？……"这样一个家奴出身的文化宣传者，也曾出任《明史》的总裁，却用他卑鄙的一击将陈名夏送上了不归路。1665年，当宁大学士死后，康熙腊肉为了表扬这个"杀手"的效忠，赐他谥号"文毅"。雍正年间，更是录用了他的曾孙，还赐给住房、银两。

这种告发，在大清的官吏们看来是投资小见效快的产业，一个双手沾满言论罪血迹的人，不仅自己死得具备哀荣，而且泽被子孙，当真是一本万利的买卖。有此典范，大清国的朝廷和知识分子能不日趋下流乎？卑鄙乎？

1655年，大清的铁幕已经基本将中土合围上了，尚有少数朝廷官员看不清言路已经封闭的趋势，跃跃然要做忠臣孝子，要对帝国的政治指手画脚一番，没料到碰了一鼻子灰，落了个流放荒凉，客死异乡的命运。

这一年有两位朝中要员撞到了专制皇权的枪口上。一位名叫季开生，字天中，江南泰兴人，顺治六年进士，在帝国的兵部出任给事中。

1655年，乾清宫建成，朝廷拨款派内监往江南采购陈设器皿，民间传言是去扬州买女子，季开生上疏极谏。顺治发话了："太祖、太宗制度，宫中从无汉女。我奉皇太后慈训，岂敢妄行，即太平后尚且不为，何况今日？我虽不德，每思效法贤圣主，朝夕焦劳。若买女子入宫，成何如主耶？"因此责备季开生肆意诬蔑，沽名钓誉，下狱到刑部判处杖刑，经赎买免杖刑，流放尚阳堡，不久死在流放地。1660年，天旱，在老季死去多年后，皇帝下诏罪己，假惺惺地下指示道："季开生建言，原是为我考虑，准其复官归葬，荫庇他一个儿子入监读书。"人死了，还能恢复官职，还能恢复名誉，还要玩平反的把戏，清帝国的戏演得真堂皇啊！

也是在1655年，曾经出任大清顺天府府丞的魏琯出任大理寺卿。八旗逃人初属兵部督捕，部议改归大理寺，魏琯上疏言其不便，乃设兵部督捕侍郎专管其事。又言："逃人日益增多，因为投充者很多。本主私纵成习，听其他往，日久不还，都告发为逃人。逃人再怎么样，惩罚只是抽一百鞭子，而窝藏逃人的却要被处死，没收人口、财产给本主。这与叛逆罪没两样了，不符合法律公平的宗旨。"

皇帝把老魏的言论批发给朝中众要员讨论，把对窝藏者的处罚改为流放，免除没收财产和人口为奴的处罚。老魏又建言：窝逃的人如果死在监狱中，他的妻子儿女应免流徙，如果遇热审（热审也是明朝的一种审判制度，是在暑热季节到来之前，对在押的没有审

判定罪的囚犯进行清理发落的制度。这种审判制度开始于明成祖永乐二年，即 1404 年。具体时间是每年小满之后的十多天开始，到农历 6 月底为止。这种会审制度分中央、地方几个级别分别进行。清朝时将热审制度也继承下来，继续在实践中执行），也应减罪一等。

老魏看不清清初残酷的形势，人道之心未死，同情之心未泯。帝国没有奴隶，吃什么？喝什么？帝国专制不恐怖，权柄谁能紧握？

顺治指责魏琯出卖君王的恩典，让王公大臣讨论魏琯要求放松刑罚的问题，讨论结果是：魏琯应当判处绞刑。几经周折，顺治把老魏撤职，结果，魏琯流徙辽阳，死在流放地。

对待另一位指出逃人法弊端的官员李裀，大清统治者也没有放过。

大清攻下中原土地后，八旗军队把俘获的百姓当做奴仆，对待他们凶残暴虐，因此逃亡的人很多。当时还有汉族地主带着奴仆一起投靠旗人的，这被称为"投允"，如果碰到主子暴虐，也一并逃走。逃人法自此起。顺治十一年（1655 年），一名王姓大臣评议：匿逃人者给其主为奴，两邻流徙；捕得在途复逃，解子亦流徙。皇帝以其过严，命再议，仍如王大臣原议上。顺治十二年（1656 年），李裀上疏极论其弊曰："皇上为中国主，其视天下皆为一家。必别为之名曰'东人'，又曰'旧人'，已歧而二之矣。"李裀描述了这种悲惨的状况："法愈峻，逃愈多。从逮捕到审问，道路驿骚，鸡犬不宁。其中很多是冤狱陷害，以及顺藤摸瓜式的牵连，以至于市场上镣铐都卖完了。饥民流离，妇女蹢躅于郊原，老幼僵毙于沟壑。"由于李裀描写大清暴政的"七可痛"真实展示了百姓被奴役的凄惨场景，触到了大清朝廷的痛处，于是，李裀被流放到尚阳堡，一年后郁郁而死。

顺治皇帝

1660 年，大清朝廷的言论罪再次吞噬了两个高官：刘正宗、张缙彦，这两个人都是从明朝投降过来的官员，后者还出任过明朝的兵部尚书。有人告发张缙彦为刘正宗的诗集所作的序文中有"将明之才"一词，词意诡异，不能明白，同时御史萧震告发张缙彦编剧《无声戏》，张自称"不死英雄"，迷惑人心，伤风败俗。对刘的最后处罚为：罢官，家产一半被没收，人入旗，不许回乡。对张的处罚是没收全部家产，流放宁古塔。不久张缙彦死于流放地。

这些悲惨而残忍的案例，仅仅是大清帝国践踏人权的冰山一角。据李兴盛先生统计，单单清代的东北流人，总数就在 150 万以上。诗人丁介吟唱道："南国佳人多塞北，中原名士半辽阳。"

这是大明王朝无法寻找出自我更新的体制，无法做到畅通言路的报应，这是中原部族王权暴政的报应……而这些报应却要由老幼妇孺来承担。这也是大清王朝的阴毒——对一切可能产生威胁的苗头的扼杀，对这个国家民气、骨骼的摧残。150 万流人，这种恐怖专制产生的心理冲击波，产生的奴性能量，我们不难想象。

1663 年农历 5 月 26 日，在江南人文荟萃的杭州城，大清王朝的杀手将《明史》案一干"人犯"七十余人（为《明史》写序的、校对的，甚至卖书的、买书的、刻字印刷的以及当地官吏），在弼教坊同时或凌迟、或杖毙、或绞死，血泪飞溅，人间天堂沦为人间地狱，"未见花开西湖侧，但闻啼哭满天地，新鬼冤烦旧鬼哭，奴族坟头多少血！""主犯"庄廷鑨照大逆律剖棺戮尸，另有数百人包括妇女儿童受牵连被流放到荒凉的边地，可以想见她们悲惨凄苦的命运。学者吴炎、潘柽章均死于此狱。作为吴炎、潘柽章朋友的顾炎武满腔悲愤，在旅程中遥祭亡友。他在诗中写道："一代文章亡左马，千秋仁义在吴潘"。后来他又在《书吴潘二子事》一文中，详细记述了庄家《明史》案的始末，对吴、潘二人的史才和德行高度评价，特别颂扬了他们在刑讯时的大义凛然、威武不屈。

这个《明史》案的故事讲述的是一个被征服民族的悲剧，故事的主人公被无耻的同胞叛卖，与《宾虚》中的犹太人不肯出卖自己同胞的行为正好形成鲜明对比。但是这在血雨中顽强抗争的义人的故事，大清王朝的著作将之全部淡化，只有拂去历史迷雾才能发现真相。

时至今日，网络上有人在为康熙腊肉辩护时称，明史案时，康熙腊肉年纪尚幼，不能对该罪行负责。多么好的辩护者啊，不敢否认腊肉们手上有血，只好推到鳌拜这个替罪羊身上。

那么我就继续举出康熙腊肉手上的鲜血，来证明大清的罪恶。

"平沙一望无烟火，惟见哀鸿自北飞"、"一自蕉符纷海上，更无日月照山东"、"杀尽楼兰未肯归，还将铁骑入金徽"。你能想象，这样的好诗是出自一个前明官员的笔下吗？你能想象，他的作品在当时几乎尽数被焚毁吗？

黄培，山东即墨人。黄家世代为大明帝国的官员，黄培16岁时荫袭锦衣卫指挥佥事。

清兵南下，在家居闲的黄培的叔父——黄宗昌组织民众守城抗击，成为反清英雄，后忧愤成疾而亡。这都给黄培以极大的影响。

黄培隐居乡间，在被征服时代的恐怖中，这位特立独行的人不惧剃发令，依然蓄发宽袍，这不是明摆着向大清强权叫板吗？黄培还受客居即墨的诗人宋继澄父子影响，原来闭门谢客的他开始参与宋所组织的诗社的活动，借诗明志。

1662年，黄培把27年来所作280余首诗编成《含章馆诗集》，刻刊传世，赠与亲友，他实则是以笔为刀，抒发心中郁郁怨愤。据

说他在崂山以大石建室居住，题为"丈石斋"，以示坚贞。

在一个征服的时代里，风云变化，确实是考验一个人的人格，考验一个民族的族格的时候。

1667 年，有人把黄培告到官府。告黄培的人是他家的世奴家仆黄宽之孙黄元衡。黄元衡本姓姜，在他考中进士、当上翰林后，为了归宗还姓，解除与黄家的主仆名分，就向官府控告黄家私下刻印并收藏有"悖逆"的诗文书籍，同时纠集小人从《含章馆诗集》中断章取义地摘抄了若干句子，指控黄培要反清复明。因此，酿成一桩颇大的案子。

黄培等人的复明反清的"罪状"一共被诬告了十条之多。很快，大清朝廷下旨从严审讯，包括刻工、装订者在内的 217 人被牵进此案。

1669 年，姜元衡还嫌不够，又伙同恶人上了一道《南北通逆》的禀文，指控顾炎武等"故明废臣"和对清廷怀有二心之人之间的通信，不是密谋造反，就是诽谤朝廷。在这份居心叵测的禀文中，姜元衡点了约三百人的名字，企图制造一件大案。此案果然被弄到奉旨办理的地步，山东总

顾炎武

督、巡抚也亲自过问。顾炎武为此被囚禁了近七个月，经朱彝尊等人营救才得以出狱。

1670 年，该案结案，历时一年零三个月的黄培文字狱案以定黄培隐叛诽谤之罪而告终。四月初一，黄培在进南受绞刑。死后葬于即墨水清沟。大清朝廷和玄烨腊肉腊肉手上沾满了多少无辜者的鲜血！

如果说《明史》案的时候康熙腊肉还是一个十几岁的少年，按脱罪洗血妙法可以往鳌拜等人身上推，1670 年，康熙腊肉有认知能力、行为能力吗？能负责吗？

翰林院编修戴名世对清廷随意篡改明朝历史甚感愤慨，他通过访问明朝遗老和参考文字资料写了一本记录明末历史的《南山集》。康熙五十年（1711 年），书印出十年后被人告发，因为书中使用了南明年号并涉及多尔衮不轨之事，康熙腊肉十分震怒，下旨将戴名世凌迟处死，戴氏家族凡男子 16 岁以上者立斩，女子及 15 岁以下男子，发给大清功臣家做奴仆。其同乡方孝标曾提供参考资料《黔贵记事》，也和戴名世同样治罪；戴氏同族人有职衔者，一律革去；给《南山集》作序的汪灏、方苞、王源等处斩刑；给《南山集》捐款刊印出版的方正玉、尤云鹗等人及其妻、子，发宁古塔充军。由《南山集》受到牵连的有三百多人，后康熙腊肉故作慈悲，改戴名世凌迟为斩刑，本来应处斩刑之人都流放黑龙江，提供资料的方孝标已死，但仍被发棺戮尸……

江湖夜雨鬼吹灯，雍正王朝鬼吹箫

网络小说《鬼吹灯》中有段故事：一个盗墓高手为了攫取一个

唐代大墓中的宝贝，为掩人耳目，居然盖了一座庙，在庙里掘了一条地道通向墓穴。

这位盗墓贼（摸金校尉）的手法可谓高明。其实天下的小偷大盗都有一套障人耳目的手法。小偷可以散布混乱转移视线，盗国者可以散布谎言，混淆视听，愚弄百姓。

盗墓贼用的障眼法其实是一种"鬼吹灯"，而窃国大盗们的障眼法，我称之为"鬼吹牛、鬼吹箫"。

1728年，雍正腊肉面对曾静等人的反清思想，成立了以杭奕禄为组长的专案小组。在审讯和策反取得了阶段性的成果后，命杭奕禄带领一干人马到江宁、苏州、杭州等地宣讲，宣讲的内容肯定是曾静等人涕泪交流的悔过和号召人们把忠于大清当做第一天职的言论……可以想象，其攻心和洗脑的效果还是很不错的。（以上据《清史稿》第二卷）

18世纪20年代，大清王朝的权力危机稍稍缓解，对内的思想清洗和舆论紧控是必然的。在雍正时代"鬼吹牛、鬼吹箫"的闹剧中，涌现了多少帝国的"思想模范"，涌现了多少紧跟朝廷的"忠臣孝子"，为他们做点记录和分析，也是很有趣的事情。

沈近思，在这场思想铁壁合围和洗脑闹剧中，跟进最紧，效忠最力，应该在大清帮凶名录中有一席之地。1726年，沈近思出任江南乡试考官。按照惯例把《乡试录》进呈，雍正嘉奖沈近思命题正大，策问发挥性理，下令表扬他。当时正是侍郎查嗣庭、举人汪景祺以诽谤获罪，停浙江人乡会试。沈近思上奏说："浙江省乃有如嗣庭、景祺者，越水增羞，吴山蒙耻！"因此献计献策，罗列了一些条列整饬风俗，约束士子，总共十条。雍正说："浙江省有近思，不为习俗所移，足为越水、吴山洗其羞耻！"雍正认为沈近思的建议周详，下发巡抚李卫、观风整俗使王国栋，按照老沈的办法施行。

在大清的权力场上，沈近思如蚁附膻，揣摩上意可谓到位。查嗣庭和汪景祺的文字狱案本来就是大清专制恐怖的一部分，是大清朝廷残酷迫害汉族知识分子阴谋的一部分。如果说汪景祺案还有权力斗争牺牲品的痕迹，那么查嗣庭案完全是捕风捉影，望文生义，通过这种恐怖镇压的手段，打压汉族知识分子的自尊，确立大清王权的无上权威。

究竟是谁使越水增羞，吴山蒙耻？站在文明的高度，站在言论自由和思想自由的高度，站在尊严和独立人格的高度，沈近思才是使"越水增羞，吴山蒙耻"的人。这个大清走卒不仅对受难者落井下石，在人格的污水沟摸爬滚打，捞取大清腊肉赏赐的残羹冷炙；而且提出了十条禁锢思想和言论的建议，成为迫害思想的急先锋，成为雍正的文化打手，与李卫等人一道构成了铁壁合围坚实的屏障。

18 世纪 20 年代，大清在钳制言论自由、禁锢思想自由上做了很多工作，其中在制度建设上的创举，就是"观风整俗使"这一官职的增设。说白了，就是一个阉割思想和文化、阉割独立人格和尊严的岗位和差事。大清的官位设置体现了极权体制的随意性和伸缩性，因为要监视思想，所以思想警察、思想太监、思想监督特派员的职位粉墨登场。

都有哪些大清走卒出任过"观风整俗使"？有煌煌史册为证。在他们的史册中都是作为功名记录的，我凌沧洲却要把他们钉上言论自由和思想自由的耻辱柱。他们是：沈近思、王国栋、蔡仕舢、刘师恕、焦祈年、李徽、许容等，在这些人中，王国栋曾作为湖南巡抚，参与过曾静案的审理，当然按《清史稿》的记载，由于王国栋审讯时只听供述，没有穷追，同时茶陵百姓陈蒂西传播流言，王国

栋没查出什么来。可能由于追查不力，有违腊肉的心狠手辣，王国栋一度被免职，并召回北京。

不是哪个省都能设立"观风整俗使"的，有些南方省份因为百姓的不服从，使腊肉更加憎恶，用各种方法来羞辱其官员和被征服者。广西学政卫昌绩和御史陈宏谋都提出过要在广西设立"观风整俗使"，而遭到乾隆腊肉的训斥："广西那地方本来考中进士做官的人就少，竟然已经有像谢世济、陆生楠等狂悖之徒，风俗的恶劣可见一斑。你们不能正本清源，做好表率，反而指望让负责教化的官员来移风易俗，这是舍本逐末。"有时，想为帝国的文化铁壁合围出谋划策，也可能弄一个满头灰。帝国需要的是这种恐怖，唯有让官吏们生活在胆战心惊中，帝国皇权才可能威严无比，这也是朝廷大小狗官们做官的一个心法。在大清重臣的传记中，经常能看见"气度端庄凝重，喜怒不形于色"等评价，专制王朝的权力场上最忌讳的就是幽默感。

雍正腊肉统治期间的惊天大案是曾静、张熙、吕留良案。

1728年9月26日，西安的一条大街上，川陕总督岳钟琪正乘轿回署，突然有人拦轿投书。具有反清复明思想的义士张熙受老师影响，以为岳钟琪姓岳，就沾点民族英雄的气节，希望他能反清。不料岳钟琪已完全成为了大清走狗，在套出了投书者的全部秘密后，开启了文字狱的血腥之门。张熙的背后是曾静，而曾静又受江东义士吕留良影响。"清风有意难留我，明月何曾不照人"，写下这样豪迈诗句的中国的特立独行之士，在死后也遭到了残酷迫害。大清腊肉们绝不放弃每一个摧残中华民族民气的机会，"吕留良、吕葆中父子被开棺戮尸，枭首示众；吕毅中斩立决；吕留良诸孙发遣宁古塔给披甲人为奴；家产悉数没收。吕留良学生严鸿逵开棺戮尸，枭首示众，其孙发遣宁古塔给披甲人为奴；学生沈在宽斩立决；黄补庵（已死）嫡属照议治罪；刊印、收藏吕留良著作的车鼎丰等四人判斩监候，另二人同妻子流放三千里外，还有十数人受杖责"。而曾静的供词及忏悔录，集成《大义觉迷录》一书，刊后颁发全国所有学校，命教官督促士子认真观览晓悉，玩忽者治罪。又命刑部官员杭奕禄带领曾静到江浙一带宣讲，命兵部官员史贻直带领张熙到陕西各地宣讲。雍正腊肉信誓旦旦："朕之子孙将来亦不得以其诋毁朕躬而追究诛戮。"然而雍正十三年（1735 年）十月，乾隆帝继位，尚未改元就公开翻案，命将曾静、张熙解到京师，于十二月把二人凌迟处死，并列《大义觉迷录》为禁书。从这件事得出的政治厚黑经就是：腊肉们的许诺哪还能相信？秋后是一定要算账的。而汉奸岳钟琪也没有好下场，他后来因进讨准噶尔失利，被大学士鄂尔泰所劾，下狱判斩监候，到乾隆初年才获释。

　　《大义觉迷录》的"巡回报告团"在广东巡讲时，广东巡抚傅泰从张熙供称仰广东"屈温山先生"，想起本省著名学者屈大均号翁山，猜想"温山"是"翁山"之讹。于是追查屈大均所著《翁山文外》《翁山诗外》诸书，果然发现其中"多有悖逆之词，隐藏抑郁不平之气"。这样，又一宗思想"悖逆"案被揭发。是时，屈大均已死三十多年，其子屈明洪（任惠来县教谕）自动到广州投案，缴出父亲的诗文著作和雕版。案情上报，刑部拟屈大均戮尸枭首。因屈明洪自首，故免死，仅将屈明洪及其二子遣戍福建，屈大均诗文禁毁。

　　"巡回报告团"的成绩和作用是明显的。起到了督促大清官吏兢兢业业，为黑帮发展日夜不敢松懈的作用。广东巡抚傅泰就属于大清的好官吏，他举一反三，牢牢地守住了大清的舆论阵地。

徐乾学

雍正腊肉期间，另有裘琏戏笔之文字狱。裘琏是浙江慈溪人，少时曾戏作《拟张良招四皓书》，内有"欲定太子，莫若翼太子；欲翼太子，莫若贤太子"、"先生一出而太子可安，天下可定"等语句，当时广为传诵。康熙末年，70 岁的裘琏中进士，后来致仕归乡。雍正七年（1729 年），85 岁的裘琏突然被捕，原来有人告发他那篇代张良写的招贤信是替废太子允礽出谋划策。次年 6 月，裘琏死于京师狱中。

翰林院庶吉士徐骏的文字狱更凸显了大清专制的恐怖。徐骏是康熙朝刑部尚书徐乾学的儿子，也是顾炎武的甥孙。雍正八年（1730 年），徐骏在奏章里，把"陛下"的"陛"字错写成"狴"字，雍正腊肉见了，马上把徐骏革职。后来再派人一查，在徐骏的诗集里找出了如下诗句"清风不识字，何必乱翻书"、"明月有情还顾我，清风无意不留人"，于是雍正腊肉认为这是存心诽谤，照大不敬律斩立决。

如果按弗洛伊德的分析，这种口误错字其实是潜意识的反映，翰林院庶吉士徐骏在奏章里，把"陛下"的"陛"

字错写成"狴"字。其实心中何尝不认为雍正腊肉们是猴子猢狲，是窃国大盗。作为大清国的高级知识分子，徐骏自然知道已经有人因为"清风"之类的言辞丢了脑袋，他写作的诗句，可以看做是对黑暗时代和黑帮政权的不满。

而 85 岁的裘琏突然被捕，死在狱中，也击碎了大清黑帮政权尊老的神话，要知道在大清康雍乾腊肉时代，耗费纳税人的银子举行了多少次千叟宴，以营造盛世歌舞升平的假象。可以看看大清黑帮是怎样对付文字狱中的妇孺老幼的，其假面、其虚伪、其残忍，不是昭然若揭吗？

大清与英法：一张进化的时间表

18 世纪，法国。妇女的影响力越来越大，上流社会的妇女们在组织沙龙，杰佛林夫人的沙龙是其中最著名的一个，沙龙里高朋满座，卢梭、狄德罗、达朗贝尔等人都在其中。

18 世纪，大清。妇女不仅被禁锢在家庭里，而且一部分妇女儿童的命运尤其悲惨。在大清当权者制造的绵延几百年的文祸和思想狱中，一些特立独行之士，一些"不合作、不服从"的思想家遭到了令人发指的残酷镇压。有的是被凌迟或腰斩，有的死后还被刨棺戮尸，而他们无辜的家眷或被流放寒冷荒凉的边疆，或被分发给披甲人为奴。

1751 年，法国。一本划时代的著作出版。狄德罗主张以传授新知识和宣传新思想为目的来编写一套《百科全书》，这一主张立即得到了当时多位最著名的思想家和科学家的支持。1751 年，该书第一卷出版，一直到 1772 年，共出版了 28 卷。在 18 世纪后期，百科全

书派成了启蒙运动的中心。

《百科全书》中对"人"的解释是这样的:"人是有感觉、能思索、会考虑,并在地球表面自由行走的动物。"

在17、18世纪的欧洲,这些"有感觉、能思索、会考虑,并在地球表面自由行走的动物"中的精英,思考、写作并出版了哪些名作呢?在17、18世纪的大清,当权者对"有感觉、能思索、会考虑,并在地球表面自由行走的动物"进行着怎样的打压呢?

1687年,英国。牛顿出版《自然科学的数学原理》,该书解释了"行星、彗星、月亮和大海"的运动,一个世纪后,诗人华兹华斯描写牛顿是"独自穿越陌生的思想海洋"。

1687年,大清。当权者以"败坏风俗,蛊惑人心"为罪状,禁"淫词小说"。

1704年,英国。终身未娶的洛克溘然长逝,葬于奥提斯教堂。洛克墓前立有石碑,碑文出自洛克之手,是他生前用拉丁文早已写好的。碑文写道:"约翰·洛克长眠于此。他们如问他是何人,回答是:他是一位满足于小康命运的人,他是一位受过训练的学者,专心追求过真理的人。对此,你们可以从著作得知。他的著作,比之于碑文上的令人生疑的颂扬之词,将更为真实可信地告诉你们有关他的其他一切评说。他的德行,即使有一些,既不足以说明他的声望,也不配作为你们的典范。让他的罪恶随他一起埋葬吧!德行的范例,福音书中已经有了;罪恶的范例,仍以没有为好;必死的范例,所在皆是。他生于1632年8月29日,死于1704年10月28日。这块即将蚀灭的石碑就是一个证明。"

洛克第一个全面阐述了民主宪政的思想，是近代分权政治学说的创始人。他的代表作品《政府论》主要是为 1688 年的光荣革命作辩护的。其中的一些观点对后世产生了极大的影响，例如其中所包含的：人类都是平等的、独立的，拥有生命、健康、自由和财产的天然权利，这些后来出现在了《独立宣言》中，并且对美国宪法的形成产生了重大影响。

1704 年，大清。东方也有一位学者和思想家名叫唐甄的死去，除了留下"自秦以来，凡帝王者皆贼也"和《潜书》等著作外，不能有任何关于制度创新方面的论断，也没有对社会前进有任何影响。

1755 年，大清。一位史学大家全祖望在寂寞悲愤中去世。他的部分手稿，竟然要到 1801 年文狱稍解时才能出版。

1751 年也许是人类历史上毫不起眼的一年。1751 年，法国，《百科全书》第一卷出版。

1751 年，大清。一场席卷全国的文字狱悄然降临。这一年，在云南、贵州、山东等地流传着一个奇怪的手抄本，是假冒大清著名官员孙嘉淦的奏折并有朱批。奏本指责乾隆"五不解"、"十大过"。全国的追查随即展开，多少人锒铛入狱，两年后，抚州卫千总卢鲁生被凌迟，南昌守备刘时达被处斩。

1755 年，法国。另一位对人类进程

全祖望

影响甚巨的思想家孟德斯鸠去世，留下了《论法的精神》等巨作。他研究了人类种种政治制度的优劣，提出了权力制衡、防止暴政的策略，他说："自由是做法律所许可的一切事情的权利；如果一个公民能够做法律所禁止的事情，他就不再有自由了。因为其他的人也同样会有这个权利。"

1776 年，英国。亚当·斯密的《国富论》出版。

1776 年，大清。乾隆命删改旧籍，"南宋人书之斥金，明初人书之斥元，其悖于义理者自当从删，涉于诋詈者自当从改。"

从 1751 年到 1772 年，法国。《百科全书》共出版了 28 卷，平均一年一卷多。开启了一个启蒙的时代。

从 1751 年到 1772 年，大清。文字狱平均一年也有一起多，受害者不计其数，让黑暗时代的血腥更加深重。

弘历的金点子与凌沧洲版《帮凶录》

1735 年，腊肉弘历先生执掌了大清国的最高权柄。当年就杀人立威，曾静、张熙被处死。

随后的两年中，大清国的思想文化建设抓得很紧，编修《八旗氏族通谱》、修成《明史》，同时不忘给奴隶们洗脑，颁行《二十一史》《十三经》到各州县。甚至禁止民间造鸟枪——确保权力不受威胁。

1740 年，《大清一统志》修成。

1743 年，杭世骏对策称满汉畛域不可太分，被腊肉革职。

1746、1748 年，两度禁止福建百姓信仰天主教。

1753 年，疯人丁文彬著作案发，丁文彬被凌迟。

1755 年，胡中藻因为诗集而被处斩。同年，山西疯人刘裕后因著作而被杖毙。1756 年，常熟朱思藻因诗被斩。1757 年，彭家屏被逼自尽，因为藏有明朝野史；段昌绪被斩，因为藏有吴三桂檄文。

1751 年的假冒奏稿案、王肇基案，1759 年的沈大章案，1761 年林志公案、阎大镛案、李雍和案、王寂元案，1764 年的赖宏典案、刘周祐案，1767 年的蔡显案、齐周华案，1768 年的柴世进案、李浩案、王道定案，1774 年的屈大均案，1775 年高纲案，1777 年的王锡侯案，1778 年的徐述夔案、刘峨案、龙凤详案，1779 年的智天豹案、沈大绶案、王大蕃案、石卓槐案、冯王案、祝庭浄案、程树榴案，1780 年的魏塾案、戴移孝案、艾家鉴案、吴英案，1781 年的梁三川案、吴碧峰案、程明湮案，1782 年的卓长龄案、高怡清案、方国泰案、海富润案，1783 年的冯炎案、胡元杰案、乔廷英案、楼绳案、吴文世案……

乾隆腊肉制造的文字血案，凌迟了多少人，处死了多少人，流放了多少人，今天，是不是有正义之士，穿越历史的迷雾，作道义的指控呢？

1774 年，乾隆腊肉命刑部定聚众结盟罪。

1776 年，乾隆腊肉奇招迭出，先是命令其麾下的真理部和宣传作坊删改旧集，也就是说像《1984》（乔治·奥威尔著）中提到的不断洗去记忆，不断创造新语一样，要篡改历史已经有的文献，乾隆指示说："南宋人书之斥金，明初人书之斥元，其悖于义理者自当从删，涉于诋詈者自当从改。"什么意思，就是说，违背大清统治意志的东西一定要阉割掉，而批评咒骂大清的文字要改为给大清溜须拍马的文字，其虚伪一至何极也！

乾隆皇帝

腊肉的真功夫当然不能只限于虚伪，残忍冷酷、狠毒无情，是其统治术中的核心。1776年推出的重要举措是：命于国史列贰臣传。

这个举措出台，应该会让那些汉奸和党附大清黑帮的人（像吴三桂、吴伟业、钱谦益）恨无地缝可钻。专制腊肉智商高，想象力奇特，对这群汉民族的败类，对这群投降的帮凶从精神上奸杀，凌沧洲先生称这种做法为淫而贱之战略。在大规模摧残中国民气的同时，把他们的汉族拥护者也踩到脚底，明确地宣告：你们已经被永久地征服了。

乾隆腊肉执政的时代，掀起了一阵阵屠杀言论自由的狂潮，而在这个过程中，多少大清国的帮凶官员，在帮助腊肉稳、准、狠地屠杀打击言论自由，迫害特立独行的思想者和异见人士。这些屠杀言论自由、强奸言论自由的凶犯奴才们，这些帮腊肉主子强奸大清国全休百姓言论自由的官吏，其实也在奉献着自己的后庭花给腊肉主子，把自己最后一点尊严喂了狗。但在大清的官方史书以及大清遗老的历史著作中，他们是国之栋梁，是忠臣孝子了，有的甚至是清官能人。

凌沧洲先生模仿腊肉的金点子，但反其道而行之，写一个屠杀言论自由的黑名单，一个最具前卫效果的"帮凶录"！

这个"帮凶录"先抛出这么些参与大清文字狱的官僚，抛砖引玉，期望各位补充完善：

大学士刚林、鳌拜，吏部侍郎沈近思，振武将军、顺承郡王锡保，岳钟祺，杭奕禄，史贻直，山西巡抚阿思哈，山东巡抚杨应琚，江西巡抚海成（王作梁案），闽浙总督杨廷璋，河南巡抚图勒炳阿，两江总督高晋，江苏巡抚明德，江苏巡抚陈宏谋，江苏学政刘墉（就是电视上鼓噪的刘清官，手上满是文字狱受害者阎大镛的鲜血）、浙江巡抚熊学鹏，两江总督萨载，安徽巡抚闵鹗元、江苏巡抚杨魁，

湖广总督三宝、广东巡抚傅泰……

凌沧洲先生甚至发奇想，是不是可以同时仿效乾隆腊肉的金点子，将帮凶录分为甲、乙两编。

帮凶录甲编：收录杀手、打手、谎言营造师的名录。

帮凶录乙编：收录帮闲、告密者、揭发者的名录。

必须做相当细致的工作，才能像检察官一样，提出一份检控报告：对大清治理下的这一时段的人权状况有个总结。

大清国不是孤独的，大清野蛮屠杀自由的行径也不是独一无二的。各位看过《纳尼亚传奇》这部电影吗，可以看看。冰雪女巫的治下人人自危，树林里到处有监视的眼睛和窃听的耳朵，秘密警察会随时让人失踪，邻居也可能是特务密探，而这一切，不必等到20世纪极权主义如纳粹等治下才有，文明灿烂的古国大清国已经先行一步了，他们在17、18世纪已经创造了"辉煌的业绩"，留下了这么多帮凶的名字！

1930 年情人节对《清史稿》痛下杀手

1930 年 2 月 14 日，按照西方的节日，应该是情人节。情人节里不完全是柔情脉脉，政治的风云在中国上空翻卷。民国时期的国民政府行政院在这一天通令禁售《清史稿》（另有网上版本称是 2 月 19 日）。

先是，故宫博物院于 1929 年邀请学者对《清史稿》进行审查，最后列举各种错误 19 条，并建议"永远封存，禁其发行"。

凌沧洲先生不是研究历史的，也无意掉进史坑。因为探寻真理和真相的缘故，因为研究文化和苦难的原因，追寻蛛丝马迹，偶尔也看看史书。但是无论如何，也找不到一本对胃口的研究大清的著作，藏有的洋洋几大本《清史稿》遍是谎言和偏见。凌沧洲先生实在不明白：大清死亡了近一百年，竟然没有一个真实的"尸检报告"？!

几代文化人将在荒漠中苦旅，几代文化人在信息短缺和封闭中，不断重复前人的冤枉路。这不，在以"清史稿"为关键词的搜索中，搜索出民国时期的国民政府早在1930年情人节时就已经对《清史稿》痛下杀手了！

然而，凌沧洲先生继续发问：这些学者是谁？错误的19条是什么？国民政府究竟该不该通令禁售《清史稿》？未来，如果有公正客观的《清史》，应该如何书写？

清史专家王锺翰先生的文章《清史稿说略》，叙及清史稿的禁锢：

> 1914年，开设了清史馆。

> 清史馆设馆长一人，下设纂修、协修各若干人，又校勘及办事员若干人。史馆规模之完备，人员之齐全，酬金之优厚，几不减清初当年明史馆开设之规模，此则借以显示新朝对胜朝的追念和报恩。而自民国六年（1917年）以后，袁氏窃帝自亡，以后历届北洋政府财政艰窘，屡减经费以至于无，《史稿》工作遂全局停顿。

> 北伐革命军抵达京师前夕，史稿已印一千一百部。既而南京国民党政府发现史稿中多有违碍之处，据傅振伦兄所撰《清史稿评论》指出：不奉民国正朔，乃只用干支，叙事复不明显，态度暧昧，有反民国之嫌。

> 最为严重的是对清末变法维新与革命运动的记载竟付阙如，书则视为反动派或反革命，例如：（1）有清一代，汉族志士铤而走险，揭竿而起均不予书，诸如朱氏后裔、

明代臣民之抗清，洪（秀全）杨（秀清）之倡义，党（指国民党）人之排满，秘密结社之组织，均不详载；（2）清代屡兴大狱，慑服汉人，其事多不着录……

《清史稿》刊成于民国十七年（1928），论者以其诽谤民国为能事，发现反民国、反革命，蔑视先烈，与断代修史体例不合。北京故宫博物院因递呈南京行政院请禁发行。不数月而遭国民党政府之禁锢。

《清史稿》禁锢之令未解，首先提出异议者为清史学界前辈、北京大学历史系教授孟心史（森）先生，题为《清史稿应否禁锢之商榷》。随之唱和提出解禁者，则为原燕京大学中文系教授容希白（庚）先生，先后发表了《清史稿解禁议》与《为检校清史稿者进一解》两文。

仔细考之，当时国民党政府颁布之禁令，实际上只能禁行于长江流域地区，华北及东北三省为日本帝国主义势力范围之内，国民党政府禁令所不能及，因知《清史稿》之禁锢令虽禁而禁不得，虽不解禁而自解禁矣。

1930 年前后言论自由、出版自由和思想自由的形势是这样的：

国民政府继续收缩其言论自由、出版自由和思想自由的尺度，也昭示时局的动荡不安和统治者的没有信心。

一方面查禁书籍和期刊的事情是在发生着，另一方面出版是有法律的（国民政府公布过"出版法"）。同时民间的刊物和出版社在不断创办，国民政府实施的威权统治对于言论自由、出版自由和思想自由是一种事后追惩的制度。

1930 年情人节对《清史稿》痛下杀手，看上去像是对言论自由下的追魂令之一。凌沧洲先生是言论自由的坚定信仰者，信奉即使错误的言论也应让其公开，因为真理如果不和谬误辩论，真理也会很快僵化。从这个意义上说，国民政府 1930 年情人节对《清史稿》痛下杀手，似乎有违言论自由的正义。同时，做法似乎也不大气。让辫子版《清史稿》发行，同时也大力推出一个中华版的《清史稿》，把大清的嘴脸揭露于世，让时人选择，不行吗？

然而，面对一个双手沾满百姓鲜血，尤其是沾满言论自由鲜血的大清政府，对这么一本肉麻地捧大清臭脚的作品，应否禁止？民国政府没有从法理上解决这一困惑，首先民国政府没有像战后德国宣布纳粹为罪恶一样宣布大清的罪恶，而是有了个对清室优待的条约。如果从法理上确定大清政府为纳粹式政权，禁售是在义理和法理之中的。最近发生在奥地利的个案可以作为参考——

英国历史学家戴维·约翰·卡德韦尔·欧文因出书否定纳粹大屠杀而被检控，其在奥地利维也纳承认控罪，面临最高 10 年监禁。现年 67 岁的欧文是研究纳粹第三帝国历史的专家，但他一贯发表否定大屠杀的言论。1989 年，欧文在奥地利两次发表演讲，否认纳粹屠杀 600 万犹太人的种族灭绝行为。去年，欧文再度入境奥地利时遭警方逮捕。奥地利联邦法律规定，任何人都不得公开发表开脱、否定纳粹大屠杀历史或使之合法化的言论。由八人组成的陪审团与三名法官将在两天内对欧文作出判决。当局还部署警力，防止欧文的支持者在庭审中行纳粹礼或喊口号支持希特勒。作为历史学家，欧文出版了近 30 本作品。在《希特勒的战争》一书中，欧文质疑大屠杀的规模，声称纳粹集中营内的犹太人大多死于疾病，而非被纳粹处决。欧文还称希特勒对大屠杀一无所知。

罗马，长安，谁更残暴淫荡

瞧，我们只不过切掉了我们的敌人西塞罗的双手，

而你们活活地割下了司马迁的男性生殖器。

——凌沧洲《安东尼和刘彻的对话》

2004 年秋天，我再一次来到德国科隆，这里在古罗马时代是罗马帝国的边界，莱茵河的东面，就是罗马人称之为蛮族的日耳曼人的土地。而现在，在科隆大教堂边上，就有一个罗马日耳曼人博物馆。当我正在博物馆瞎转，看古雕塑和古钱币的时候，同行的摄影大师张先生神神秘秘地走了过来，一脸不怀好意的笑："给你们看个好东西！"

拿过他的相机一瞧：一副古罗马人的马赛克画铺在地面，画面上，一个古罗马男人高耸着生殖器，作朝天椒状。

张大师笑说："这好东西你们没看到？在博物馆地下铺着呢！"

生殖崇拜各民族都有，像这样在雕塑、壁画中若无其事地展现，只能说明希腊、罗马文明较之东方文明更暴露。

可以说将东西方文化进行比较的著作很多，性文化比较的著作，我孤陋寡闻，却读得不多，手头可引用的史料也有限，因此只好乱弹一阵了。

比较古代民风，在好色与淫上，并无谁胜谁劣的区别，伊特鲁利亚人有公开做爱的风俗，罗马人也有诱杀萨宾男人，强奸萨宾妇

女的不光彩记录。而在中国，春秋战国时代的宫廷里，乱伦者有之，两男共一女者有之，甚至秦始皇母后的面首，有人吹嘘其阳具可以挂上一个车轮。

帝王是一个国家的元首，多半是这个国家百姓的浓缩版和精华版吧？罗马曾经有淫荡的国王塔昆，被其臣民赶跑了；东方帝国也有杨广这样的淫荡皇帝，被唐朝的开创者推翻。但不同的是，罗马人在经历了塔昆的暴政后，更加意识到共和和自由的宝贵；而古中国的百姓们却更加盼望明君。

比较"罗马，长安，谁更残暴淫荡"，就不能不提到罗马和长安的缔造者或开创者们。相传罗马城的缔造者罗慕路斯为母狼抚养，在争夺权力的过程中杀了自己的孪生兄弟雷慕斯。罗马历史学家李维认为：罗马的残暴淫荡都与早期的血腥残忍有关。

长安没有固定的缔造者。但刘邦、吕雉的残暴史书上都有记载。帮助刘邦夺得天下的韩信们一个个被"走狗烹"，而长安的宫廷里因为女人争风吃醋，也曾经出现了叫"人彘"的东西（即把一个美丽的MM手脚都砍了，并且弄哑）。

在凌沧洲先生看来，唐太宗李世民最像罗慕路斯，不仅在权力争夺战中诛杀了大哥和弟弟，还把他们的儿子都杀个干净，同时把他们的妻妾都收归己有，此种"高妙"是罗慕路斯比得了的吗？（见《唐书》）虽然李世民有雄才大略，虽然李世民胸怀宽广，但在斩草除根方面是决不手软的。

吕雉印

而且帝国的舆论宣传工作也做得很好——杨广就是昏君、淫荡之君，而唐太宗是千古明君。

历史往往就是这样，短命王朝多暴君、昏君，固然有这种可能，但更大的可能是这些君主来不及组织写作班子，塑造他们的英明形象。而长命王朝有充分的时间，一边记录前任的丑闻，一边巩固自己的合法性。谎言重复一千遍不就成了真理吗。

再看看千古一帝汉武帝。南齐人王俭记载道："元朔中，上起明光宫，发燕赵美人二千人充之，率皆十五以上，二十以下，年满三十者出嫁之。掖庭总籍，凡诸宫美女万有八千。建章、未央、长安三宫，皆辇道相属。幸使宦者、妇人分属，或以为仆射，大者领四五百，小者领一二百人。常被幸御者，辄住其籍，增其俸，秩比六百石。宫人既多，呕被幸者数年一再遇。挟妇人媚术者甚众。选三百人常从幸郡、囿，载之后车，车上同辇者十六人，充数恒使满，皆自然美丽，不假粉白黛绿。侍尚衣轩者亦如之。尝自言：'能三日不食，不能一日无妇人。'"而《旧唐书·食货志》亦记载道："汉武帝后宫数万人，外讨戎夷，内兴宫室。"

到了"唐玄宗开元天宝中，仅长安大内、大明、兴庆三宫和东都大内、上阳两宫，即有宫女四万人，可见唐玄宗的宫女是超过四万个的，而当时唐朝的总人口也就五千多万，相当于一千个人里面就有一个是唐玄宗的妻妾，比唐代的官员总数还多。这样看来，要评历史上拥有宫女最多的皇帝，唐玄宗当之无愧。"（参见相关网络文献）

至于女皇武则天的残暴淫荡那更是有案可查，历史上著名的酷吏来俊臣等人就是她养的狗。帝国更是培养了一种告密的卑劣人格，以至于贵族望着秋天田野上出殡的队伍，叹息道："能够老死的人是多么幸福！"

长安，正如黄宗羲在《明夷待访录》中抨击的那样，皇帝以天下为私产，"敲剥天下之骨髓，离散天下之子女"，以奉其"一人之淫乐"。

马基亚维利在《论李维》中说："罗马皇帝，除了提图斯以外，以继承方式得到帝国的人，通常都是专制者；以推举方式得到帝位的人，皆为明君。在明君统治下，安宁和美德无处不在，而在另一些皇帝的统治下，罗马的暴行无以数计，高贵、财富和古老的荣誉，尤其是德行被看做首恶，告密者领到赏金！"

古罗马广场

从残暴的角度看，我以为罗马是略胜于长安的。这不是因为帝国对外征战中屠杀的异族数目更多，而是因为罗马有其特殊的产物——竞技场。竞技场是嗜血的。多少奴隶、罪犯和野兽为了满足罗马人的欲望而命丧黄沙，一天下来，竞技场中的腐臭气息难闻，不得不洒香水。"我从竞技场回转家门，发现自己更贪婪，更嗜血。""人性的堕落莫过于此。"一些古罗马作家如此写道。

但是长安呢？长安没有献俘表演吗？槁街上没有高悬敌族的人头吗？飞将军李广曾感叹他一次杀死羌族降卒 800 名，其他将军的残暴更是不难推测。

对待自己部族的人的残暴，罗马和长安也有一比。苏拉胁迫罗马元老院的时候，是大开杀戒的，而董卓在长安也曾演出了屠杀的大戏。

对待异议分子和政敌西塞罗，安东尼不得不派刺客去暗杀，切下西塞罗的双手示众。对待忠臣和不同意见者司马迁，刘彻则要处死他，只是交了部分赎金后改为宫刑。

比起长安的中国帝王拥有的后妃数目和他们的残暴淫荡，就是那最淫荡的罗马皇帝可能也要吃惊。而罗马皇帝再残暴淫荡，罗马人的婚姻制度仍是一夫一妻制，也不可能有明目张胆的庞大后宫。

我不知道，罗马，长安，谁更残暴淫荡。

历史的疑云

自卑者玩弄权柄
盛世领袖的攻心术
领袖们的西门庆综合征
官场龟缩术

自卑者玩弄权柄

啊，罪恶的拳头这么凶狠地击中一个人的灵魂。

——雨果

才子被帝国打手活埋在雪中

1415 年冬天，大明帝国的都城北京。一个曾经是朝廷官员的在押犯行将被处决，处决的方式奇特而富有想象力，注定要在古代人权史上留下令人印象深刻的一页。

多少年后，人们会记得这个被处决的在押犯的名字，是因为他的机智和才学，他的打油诗和对联——人们认为他是一个东方朔式的文化笑星，但他的机智在死刑的面前就实在显得比较无能和弱智。

多少年后，除了史学家和文化学者外，没几个人记得那位特务头子和行刑队长的大名，没有几个人研究帝国专制权力运作的奥秘——这样的死亡既不是空前的，也不是绝后的。

将近六百年后，你可以在互联网上搜索到这个囚犯的名字，以及他的少数趣闻佚事。他就是才子解缙，不仅在中国文化绝学——对联上颇有造诣，而且他的几首打油诗以先贬后扬的抖包袱的手法，成了奉承作品的一道独特风景，这使工于谄媚的人们又惊又喜——

有一个道士拿了自己的画像去找解缙题词。解缙即挥笔写下

"贼贼贼"三字，道士大惊。解缙却不慌不忙又续写道："有影无形拿不得。只因偷去老君丹，而今反做蓬莱客。"顺口而溜，先俗后雅，以贬衬褒，手法独到，令人叹绝。

解缙

一天，他奉召陪明太祖去御花园钓鱼。解缙是钓鱼高手，鱼儿接连上钩；而明太祖却一无所获，自然情绪低落了。

皇帝是"天子"，事事都应当天下第一，钓鱼也是一样，如果解缙趁机逞强，那就不妙。于是他恭恭敬敬地说："皇上，别看鱼儿小，它们都懂得礼节。"

这一说法真是闻所未闻。明太祖听了，满怀疑惑地问："何以见得？"

他从容地回答说:"这是真的,有诗为证。"随即吟诗一首:数尺丝纶入水中,金钩一抛荡无踪。凡鱼不敢朝天子,万岁君王只钓龙。马屁拍得何等高妙!

这些都是民间传说,无法当真。然而解学士的聪明才智却是无可质疑的,在清帝国官方修订的《明史》中记录:"当他密献万言书后,明太祖称赞了他的才华。"除了对他的对联、打油诗不能肯定外,可以肯定的是他写过万言书、《太平十策》,是《太祖实录》、《列女传》以及帝国浩大的文化工程《永乐大典》的总裁,解缙可以算是帝国的文化和宣传界的重臣。然而献出《太平十策》的人并不能保证自己的太平,他卷入宫廷政治、权力斗争的旋涡太深了,这给他带来了杀身之祸。

在六百年后的北京,研究解缙的文字和他的生平,我们不能不说:这个人的思想具有很强的人道主义精神和人文关怀倾向——

"我听说政令数改则百姓疑虑,用刑太繁则百姓会轻视法律。从开国至今,将近二十年了,却没有长期不变的法律,也不见哪一天有不犯错误的人。我曾经听说陛下震怒,锄根剪蔓,诛杀奸逆。但没有听说褒奖一个大好人,对其奖赏延及后世,免除其家乡的赋税徭役,并且始终如一地这么做。……"

解缙的万言书开篇就点明了大明帝国的专制恐怖统治,指出了帝国朝廷管理中的刻薄寡恩和只有惩罚没有奖励的现状。这篇万言书同时指出了贤者沉于下僚,昏庸者出任长官的黑暗事实。"杀人埋尸的凶悍之夫,品格卑鄙的愚蠢之辈,早上刚刚放下屠刀,晚上便穿上冠裳,左弃筐箧,右绾组符。因此贤者羞与他们为伍,庸人都效仿他们处世的方法。"

解缙这篇万言书最大的闪光点在于,它批判了明帝国司法体系中野蛮的连坐制度，为无辜的妇孺呼唤人权："给人加罪不应罪及妻女，惩罚不应连及后代。连坐起于秦代的法律，诛杀子女是因为伪书。当今之为善者妻子儿女未必得蒙恩宠，而有过失者，即使是里胥小吏也必定会一并给他们加罪。况且法律以人伦为重，而法律又有将妇女配给功臣一条，听任他们已经不义，又怎样要求她们保持节义呢。这正是风俗转变的原因。"

皇帝像一切政治老油条一样，一边表面上夸夸解缙有才华，一边什么也不做，让万言书如同废纸。帝国践踏人权的野蛮的司法制度，是不会因为文人官员的呼吁而有丝毫放松的。恐怖，放大恐怖，正是专制体制所要追求的效果。

李善长

解缙在朝，既不懂得韬光养晦之策，又不能闭上直言之嘴；既不会像清代的刘墉、纪晓岚那样玩低调谨慎的伺上之策，也不会清代官吏曹振墉等人"多磕头，少说话"的妙法，相反自以为才智至高，上朝都敢对答，又好品评人物，管不住嘴巴，无所顾忌，朝臣多嫉妒他受宠，这就为他日后的倒下埋下了伏笔。

在明太祖的时代，解缙就因为其个性而仕途坎坷。他曾经到兵部去索要奴隶，出言傲慢。尚书沈潜报告皇帝，皇帝说："解缙敢玩世而放肆吗?" 于是改任解缙为御史。当了御史的解缙仍不老实,李善长因为"谋反集团"的案子被诛杀,解缙居然辨不明政治风向,代郎中王国用起草为李善长鸣冤叫屈的上告信,并上奏到皇帝那里。他还帮人起草弹劾都御史袁泰的上告信,使得袁泰也非常恨他。当时近臣之父都可以觐见皇帝,皇帝对解缙的父亲说:"大器晚成,你带你的儿子回去,让他进一步学习,十年之后再来,大用未晚。"

解缙一回家就是八年,但这八年并没有使一个才子学会如何韬光养晦、低调做人,如何在朝中做缩头乌龟,生存自保。1410 年,明成祖北征,解缙上京奏事,拜见了皇太子后返回。随后,被人诬陷。朱棣既从侄儿手中夺取皇位,对皇太子的权力也很警惕,于是,听从了谗言,将解缙下狱。

过了近五年,锦衣卫统帅纪纲呈上囚犯花名册,朱棣看到解缙的名字,说:"解缙还在世上吗?" 纪纲于是将解缙灌醉后埋在雪中,致其死亡。解缙死后即被抄家,妻儿宗族都被发往辽东。

朱元璋的自卑与巩固权力

考察了明帝国在文明史上的遗踪,凌沧洲先生不得不悲哀地承认:经历了一百年左右的征服和奴役,明帝国建立后,已经沦为半野蛮化。

半野蛮化体现在帝国统治者的观念上,体现在政治、风俗、行政体制上,体现在人权、自由指数比起 1279 年以前大大下降的方面。

明太祖是自西汉以降出身布衣的元首,即使汉帝国的刘邦先生,也是一亭长,好歹是国家的底层管理人员。而朱元璋却是一个彻底的

农民，识字不多，注定了其先天的不足和灵魂深处的自卑。马基雅维利在《君王论》中曾提出：君王要避免让人蔑视和憎恨。而农民元首的卑微出身，注定要被知识分子和社会精英蔑视。正视朱元璋内心中的自卑，就足以了解其立国后苛酷集权、滥杀功臣、打击知识分子尊严的一些做法。明太祖用这些专制恐怖手段来巩固自己的权威，弥补自己的心理缺陷。这正如《怪物史莱克》中的侏儒统治者法夸要用高高的城堡和浩大的场面来弥补侏儒的自卑一样。在先天条件上，由于唐宋开国的太祖、太宗基本上都是从地方长官和朝廷高级军官的位置上取得天下的，所以他们的心理包袱要小，而心胸相对宽广。

农民元首的局限还不仅在于自卑，更重要的是对天下、民族、政权的判断，已经完全经过了洗脑。虽然我不否认，朱元璋在反抗元暴政上有功劳，但是他对元朝统治的认识是完全模糊的，是否可以这么说，这种不能分清文明角逐、民族存亡的意识，也遗祸了几百年，以致在几百年后明帝国沦陷时，许多人都无法反弹起足够的民族意识。

根据《明史》中太祖本纪的记录，1368 年，朱元璋对徐达说："中原百姓，流离相望。将帅北征，救民水火。元朝祖宗有功德于民，其子孙不顾百姓死活，老天厌弃他们。"

元的早期征服者有何功德于民？西征南下，杀人无数，屠城无数，难道是功德？朱元璋无法解释古中国的灭亡，无法解释汉族权力沦陷和权力真空的事实，必须以王朝天命的观念来解释民族的更迭。

1370 年，当北征将士俘获元的"嗣君"买的里八喇到京师时，群臣请杀俘献祭，朱元璋不许。群臣以唐太宗为例对朱元璋进行过劝说，但朱元璋的逻辑是："太宗那是对付王世充。要对付隋的子孙，恐怕也不会这样。"

朱元璋

从现代人道主义的立场来看，不杀俘当然是对的。而在唐太宗的时候，在大街上杀俘献祭，起到了鼓舞民气的作用。但是朱元璋的逻辑并非不杀人，看他杀功臣和自己的百姓时的残暴，就能推理。朱元璋的逻辑是杀谁不杀谁，他的理论是：买的里八喇那是前皇朝的后裔，杀不得。

难怪许多末代皇帝都活得津津有味，而功臣和知识分子都如同生活在地狱中一般。皇权的继承逻辑和思想根源在此！

当时的捷报中可能充满了全民族同仇敌忾的词汇，而朱元璋先生却对宰相说："元朝统治中国百年，我和你们的父母都赖其生养，为何如此菲薄，要改掉。"

这是什么逻辑？这个逻辑就是古代统治者们自私的逻辑，如果不认元贼作父，谁来承认他朱元璋的绝对独裁和权威呢?!

明帝国的半野蛮化体现在其对中央集权的进一步加强上，它基本上接受了元的行省政制。我们知道，像西方的现代民主，除了建构在自由、人权和票选上，地方自治也是其分权制衡的一种方式。在唐宋时代，虽然也是承袭秦制，但皇权并没有膨胀到像明帝国这样。

帝国的政治是野蛮和血腥的，胡惟庸和蓝玉两个"阴谋反朱集团"的被打倒与株连九族等做法，进一步证明了这一统治的实质。蓝玉，可以说是民族的功臣和英雄。敌国灭，功臣死，鸟尽弓藏，兔死狗烹，帝国的集权体制与百姓的懦弱奴性，无法挽救功臣的性命。连敌国酋长的命都可保住，而功臣和英雄的命却不保，为何？权力的排他性使然。

当帝国一再书写这种忘恩负义和"苏丹式的司法残暴"（孟德斯鸠语），你有什么理由指望被虐待的人们和他们的后裔不做汉奸？

帝国的才子解缙是在雪天被特务头子灌醉后活埋在雪中的。这样的帝国，难道不是半野蛮化的吗?!

然而，即使是这样的政权，也为汉族百姓免受游牧民族的压迫和奴役提供了一道脆弱的屏障。当明帝国在1644年先被"流寇"困扰得半死，然后遭到清帝国铁骑的征服，人们就会尝到什么是更底层的奴隶的滋味了。

在朱明王朝的统治下，人们的血性继续败坏，中原和江南将因为帝国君王的昏暴付出更为惨痛的代价，将因为它的精英和百姓的性格的堕落而戴上几百年的枷锁和桎梏。

"暴政开始时常常是缓慢而软弱的，最后却是迅速而猛烈的。它起初只伸出一只手援助人，后来却用无数胳膊来压迫人了。"（孟德斯鸠《论法的精神》）

清朝的暴政，与老孟说的何其相似。当它入关时，当明朝臣民还梦想他们向"流寇"复仇的时候，那无数压迫的胳膊早已藏在铁蹄后面。当铁壁合围的大幕拉开，当剃头易服的大幕拉开，当文字狱的人幕拉开，占中国的后裔们已经在不知不觉中进入了牢笼，而牢笼的大门在1644年已经砰然关上。

明朝沦陷后，有星光的长夜变成了没有星光的长夜，人们再次向地狱深处坠落，继续向下，向下……

走向东方奥斯威辛——明帝国的最后报应

明朝末年，内外更加交困。帝国从它创立之初，就不停地陷入与北方游牧民族的战争。几乎每隔几年，边患即会重来，无论是鞑靼还是瓦剌，都在与明帝国摩擦。无论是因为边市的关闭，还是因为饥寒而为生存苦斗，最终的结果都是游牧民族的铁骑不断践踏明

帝国的北方，有时甚至直逼京师附近。

明朝末年，税负更加繁重苛酷，政治更加黑暗混乱，而天灾正在迅速逼近——地震、干旱、蝗虫、瘟疫。最后，暴政和饥饿把帝国苦难的百姓逼上了铤而走险、揭竿而起的道路。明帝国的灾民为造反准备了大量的干柴，帝国政治的专制与昏聩成了助燃的汽油，而饥荒与瘟疫成了点燃火山的火种。

明帝国仿佛一个被蛀虫掏空了的庞大骨架，"流寇"们捅倒了它最后的支点，而等着收尸的竟是关外铁骑——一个为了蒙蔽中原和江南百姓修改自己国名为"清"的"后金"。

我觉得，一切的历史可能都会追随着报应。明帝国持续两百余年的好运已经到头，在他们当政的岁月，构建的每一桩冤狱，喝下的每一滴民血，都驱动着报应的轮盘朝着不利于帝国的方向前进。

没有明帝国的苛酷，那些流落东北的汉人能心生背叛之意，投向后金？

但是，即使苛酷如斯，明帝国仍是中原和江南百姓抵挡外族的一道脆弱屏障。

在明帝国沦亡后，登场的清帝国，成为了压榨百姓的利器，成了摧残天下民气的绞肉机。

清帝国的宁古塔、尚阳堡，流放着成千上万的中原和江南志士。在东北的苦寒之地，清帝国构建起一座座庞大的集中营——东方的奥斯威辛（凌沧洲先生首创的学术命名）。这些被剥夺了自由、财产和尊严的仁人志士——其实许多也是不合作的特立独行之士，在此遭受着非人的折磨。有一本叫做《研堂见闻杂记》的书上写道，当时的宁古塔，几乎不是人间的世界，流放者去了，往往在半路上就会被虎狼恶兽吃掉，甚至被饿昏了的当地人分而食之，能活下来的不多。"发往拔甲人为奴"者，妇女多数会被奸污，而男人几乎没有不被杀掉的。

诗人丁介写道："南国佳人多塞北，中原名士半辽阳。"

一个古老文明中的勇气、骨气在"集中营"里被摧残，百姓们生活在黑暗和恐惧之下，清帝国就像一个奴隶大杂院和大集市！

这是明帝国的报应。帝国君王的昏暴、愚昧而短视，帝国士大夫阶层的懦弱媚骨，换来了一座巨大的东方集中营——野心与贪欲、罪恶与血腥由权贵与精英们造成，代价却要由全体百姓来背负。

当学术老包衣和家奴们在胡吹乱侃，把苦涩吹成甜蜜时，请留心看看，留心听听，你会发现——在清帝国，不仅是东北，帝国本身又何尝不是一座巨大的东方的奥斯威辛?!

祭奠表演：极权与谎言的谱系

1645 年，就在清帝国纠集各部，连同汉奸吴三桂的部队，攻陷北京城后的第二年，明帝国的余部并没有放下武器屈膝投降。而明帝国的敌人李闯王的部队也在一边抵抗一边后退，正月，李闯王在潼关再战清联军，败退西安，再退商州。

"落日照大旗，马鸣风萧萧。悲笳数声动，壮士惨不骄。"出塞进击的时代已经永远结束，现在登场的戏剧是入关。"借问大将谁？恐是霍嫖姚"的梦想早已给铁蹄践踏，中原和江南已经群龙无首，中原大地现今只有血腥的搏击，这个曾经在 12 世纪以前辉煌的文明将会重新回到黑暗中。

1645 年农历 3 月，清帝国的攻心战端出一道祭奠大菜。在沦陷了的北京，清帝国年幼的首领福临在众多谄媚者的簇拥下，进入历代帝王庙，而祭奠的居然是辽太祖、金太祖、金世宗、元太祖、明

太祖，以及辅佐他们的主要大臣
耶律曷鲁、完颜粘没罕、斡离
不、木华黎、伯颜、徐达、刘
基。（见《清史稿》）

能把这一堆人撮合到一起倒
真是一大本事。但不知这一群人
在黄泉路上会打架否？

这个奇怪的祭奠名单肯定是
经过清帝国高层精心研究定夺
的。表面上看来，是消融了界
限，颇有几代统治者、不同利益
头目抱成一团的感觉。但是，名
单中把宋太祖赶了出去，把唐高
祖赶了出去，何故?!

凌沧洲先生大胆为这份祭奠
名单做个解读：宋是金国的世
仇，蔡州之战，宋军灭了前金，
是后金的战略和精神敌人，决不
能入选。而唐太宗时代，是中华
民族最辉煌的时代，清帝国的元
首对唐太宗贬损有加，曾在一次
与汉奸大臣的对话中谈到唐太宗
不如明太祖，因为明太祖的制
度，在后金元首看来是可传之万
代的。这从另一个侧面也可佐证

吴三桂

凌沧洲先生的论断，专制的明帝国确然已经半野蛮化。

清帝国元首皇太极先生屡次推崇金世宗，认为他是明君。1636年11月13日，皇太极先生下诏："金世宗即位后，担心子孙效仿汉人，便告诫他们不要忘记了祖先的法度，要练习骑马射箭，可惜他的后人们没有记住他的告诫，终于亡国。……我担心后世的子孙忘记这一点，仿效汉人而忘记了骑马射箭的武艺，这一点足以让人忧虑，你们一定要牢牢记住。"

把蒙古的统治者列在祭奠名单上，有现实的战略考虑，既然公主们都可以一个个地嫁给蒙古王公来巩固政治分赃的联盟，这些嗜血者们当然得高高供奉祭奠。

在这次奇怪而丑陋的祭奠表演中，朱元璋扮演了一个道具的角色。只要想一想，屠刀已经霍霍地磨向了朱元璋的子孙，姓朱的王族后裔在其后的征服中大部分被诛杀，甚至在1673年一个侥幸活下来的朱元璋子孙因为抗拒剃发令而被玄烨先生发配给八旗为奴，从这里就知道这祭奠实在是猫哭耗子了，收买人心，是典型的自卑者所弄权术的套路之一，我想朱元璋先生若在天有灵也一定会为他的后裔子孙哭泣的。

更要哭泣的是徐达和刘伯温。徐达，这个多年出塞、浴血奋战的将军，他的亡灵遭受如此捉弄，不觉得羞辱吗？

刘伯温，这个写下了"手执大刀九十九"的人，你的灵魂在九泉下是否会哭泣？你智慧的眼睛是否看到了即将来临的禁锢自由、加深奴性的几百年惨剧，是否看见了万劫不复的无底深渊正在向一个民族招手？

盛世领袖的攻心术

——清朝文字狱及其心理后果

> 来，使人盲目的黑夜，
> 遮住可怜的白昼的温柔的眼睛，
> 用你的无形的毒手，
> 毁除那使我畏惧的重大的绊脚石吧！
> 天色正在朦胧起来，
> 乌鸦都飞回到昏暗的林中；
> 一天的好事开始沉沉睡去，
> 黑夜的罪恶的使者却在准备攫捕他们的猎物。
> ——莎士比亚《麦克白》
> 共和国需要品德，君主国需要荣誉；而专制政体则需要恐怖。
> 对专制政体，品德是绝不需要的，而荣誉则是危险的东西。
> ——孟德斯鸠《论法的精神》

　　"腊肉"，是网络上创造发明的词汇，专指僵尸、干尸之类的古董玩意儿；"康雍乾腊肉"，是我凌沧洲的发明，专指被吹为盛世明君实则专制暴君的康熙、雍正、乾隆的僵尸。

　　17、18世纪正是欧洲日新月异的时代，尤其是18世纪，启蒙时代解除了套在人身上的枷锁，反观东方大地，在康雍乾腊肉的带领下，套在中国人身上的枷锁不是没了，轻了，而是多了，重了，恐怖笼罩大地，血色密布乾坤，神州沦为鬼州，人间化作地狱。

"腊肉"们对刨棺戮尸情有独钟

　　北风如刀，满地冰霜。

江南近海滨的一条大路上，一队清兵手执刀枪，押着七辆囚车，冲风冒寒，向北而行。

前面三辆囚车中分别监禁的是三个男子，都作书生打扮，一个是白发老者，两个是中年人。后面四辆囚车中坐的是女子，最后一辆囚车中是个少妇，怀中抱着个女婴，女婴啼哭不休。她母亲温言相呵，女婴只是大哭。囚车旁一清兵恼了，伸腿在车上踢了一脚，喝道："再哭，再哭，老子踢死你！"那女婴一惊，哭得更加响了。（金庸《鹿鼎记》）

这是文学家描写的清朝文字狱时押解《明史》案囚犯的一幕，我相信，真实的历史远比这更残酷。

1663年的《明史》案，是清王朝套向中原百姓身上的一根铁索，写作者、参阅者、刻工、刷匠、买书的、藏书的都被斩。妇女均发配边疆为奴，死至少七十余人，牵连七百余家。并且把主编者庄廷鑨戮尸。

显然，对这些不合乎清朝统治者标准的历史观必须扫荡干净，才能让江山永固。

1713年，康熙腊肉杀历史学家戴名世，戮方孝标尸，因为戴的历史著作中记录了南明三王的历史和纪年。看来，腊肉的屠杀和攻心战非常成功，三百年后，人们还以1644年的王朝纪年为清朝开篇，而忘却了此时明朝并未彻底亡国。

1717年，自私的康熙腊肉为了闭锁国家，对出海贸易做出诸多限制，出国不返者，拿不住本人，就将知情同去的人关押起来。

1725年，为了权力斗争的需要，雍正腊肉对功狗年羹尧的幕僚文人汪景祺大开杀戒，汪的诗集中居然有"皇帝挥毫不值钱"的句子。立斩，妻子为奴。

康熙读书像

次年，该腊肉又吹毛求疵，查出所谓江西乡试试题有问题，拿了查嗣庭大兴文狱。并且借此报复江南知识分子，停止浙江的乡会试，因为汪、查是浙江人。

1727年，查嗣庭在狱中病故，腊肉也不放过，戮尸泄愤，其子受株连，家属遭流放。

1729年，雍正腊肉掀起一个迫害思想、迫害文化的高潮。曾静、张熙、吕留良案起。无耻的是，腊肉竟然要全国知识分子表态。万民无声，唯有山西夏县出现了一反动帖："走狗狂惑不见烹，祥麟反作釜中羹。看透世事浑如许，头发冲冠剑欲鸣。"

腊肉狂怒，批示："悉心根究，莫令奸匪漏网。"

清朝腊肉们在疯狂打压和屠杀言论自由的时候，也没有忘记精神上的同化政策。

1716年，编了一个腊肉牌《康熙字典》。

1725年，颁布《圣谕广训》，当然肯定用的是百姓的血汗钱。

1735年，历时多年的官修版《明史》成书。老凌川通读了该书的白话文版，客观地说，该书在细节和文采上是不错的，但在清朝文化和思想审查的大气候下，该书的阴险心机也是不言而喻的，一般读官修版《明史》，只会得出明代皇帝比较昏聩的结论，无奈清朝的这点把戏唬得住庸人，却唬不住老凌等睿智之士。一、读完明史，你会发现明代的知识分子言论的空间是很大的，百姓们的骨头还是硬的，当权者还没有彻底把他们玩残；二、如果清朝不心怀鬼胎，又何必把民间写的各种版本的明史一一诛杀？

相比之下，朱元璋的史官们就太不敬业，只编了不到一年，就弄出一本《元史》，不仅粗糙，而且由于王朝史观作怪，不能公布中

原被征服的真相。

1732年，思想家，不合作的特立独行之士吕留良先生在死后多年，被腊肉及其帮凶无情地从坟墓中拽起戮尸，家族也惨遭株连。

吕留良

搞笑而残忍的是，为了让腊肉爷爷的《康熙字典》，一花独放，腊肉孙子乾隆在1777年制造了一个案子，当时，江西有个举人叫王锡侯，为了混口饭吃，就编了一部字典《字贯》，被人告发。乾隆腊肉找了碴儿，就把王先生给斩了，这下，谁还敢编字典呀？腊肉的字典，连同其文化思想、意识形态，都能畅通无阻了。

乾隆腊肉时代的法国思想大家辈出，伏尔泰、狄德罗、孟德斯鸠将完成推动人类历史的著作，百科全书派的启蒙亮光照亮了人类的黑夜。而在东方，在乾隆腊肉的统治之下，编一部字典就能送了命；此时的东方民族就像一头喝醉了的盲牛，从容走向黑夜的屠场而不自知。

就在查抄字典案的当年，一个手上也沾着无辜文人鲜血的封疆大吏高晋建议武闱舞刀改为鸟枪，乾隆腊肉不同意，因为怕民间会放枪的人增多。

清朝腊肉其自私愚昧之心，从此可见一斑：民众会放枪，就有可能造反，就可能危及其黑帮政权的生存。这个禁令，与清朝禁止汉人养马，禁止民间制藤牌是一样的心理。

1746 年，清朝下了一道禁令——禁止百姓出山海关。

这道命令，对现今清朝腊肉的粉丝来说，不啻为一记响亮的耳光。腊粉们胡言：清朝带来了东北等土地的嫁妆。

看看这份嫁妆吧，在腊肉们的时代，民众只能悄悄出关！而在近两百年后，清朝的末代腊肉溥仪，将会把这份"嫁妆"献给日本人，成立伪满洲国。

雅正群言与删改旧籍

东方专制国家的权柄，传到了腊肉孙子乾隆手中时，这位聪明过人的独裁者，这位英明而阴险的皇帝，平均两年就要兴一次文字大狱，等于平均两年就要吃一次人血馒头。

凌沧洲先生必须悲哀地承认：乾隆的专制是空前的，虽然并不绝后。

把乾隆以前的腊肉们都拿出来晾晒晾晒，就会发现没有像乾隆对文化和思想控制得这么紧的。暴君嬴政最多烧了一次书，埋了一批儒生而已；暴君汉武最多去了司马迁的势而已，如果司马迁理财有方，能赎买自己，还是有救的；及至中华文明最为辉煌灿烂的唐宋时期，文字狱几乎是没有的，李白被流放是因为站错了队，苏东坡入狱是因为新旧党争，并且都获得了释放。

在清朝糊弄历史、篡改历史、混淆历史多年后，实际上，就已经把中华民族的灵魂、思想、骨气、血性推向了万劫不复的深渊。

清朝腊肉的粉丝们至今仍然在提明代文字狱，说来说去就是一个"光天之下以身作则"，触犯了朱元璋"光"和"贼"的忌讳，且不说这种史料是否真实，明代大规模兴起文字狱的证据又何在？可有人因为一本书而被凌迟，连带全家为奴的？可有人因为一首诗歌而被杀害，死后还被戮尸刨棺的？可有株连得丧心病狂，连买书的、刻书的、印书的、卖书的、藏书的也一并杀了的？

无边的极权专制恐怖渗透到了每个中原百姓的家里、灵魂中，因为在这样一个热爱诗歌、热爱文化的国度中，诗歌和文化已经成为了恐怖的代名词，成为了家破人亡的导火索。即使不为自己着想，总得为家人和孩子着想吧？

把专制的大刀磨得更快，伸向文字狱、思想狱后面无辜的妇女、老人和儿童，这就是伟大的清朝帝国的发明，伟大的腊肉们的杰作！

仅仅这一点，就足以把康熙、雍正、乾隆等腊肉推向人类末日的审判台！

人类历史上没有像腊肉粉丝这样的人，以色列人不会歌颂达豪集中营，不会播放罗马人对他们的屠杀。

日耳曼人播放的是日耳曼人反抗罗马、追求自由的影视，凌沧洲先生就亲眼看过这种影视。

俄国思想界、文化界对金帐汗国的奴役也是深恶痛绝的，这从他们对蒙古汗国的蔑称就能看出。他们以帐篷的颜色来称呼蒙古汗国，从来没有认他们为正统。即使现今还有两个蒙古人聚居的共和国，但他们也并没有把蒙古大汗的臭脚捧了又捧。

俄国作家索洛维约夫和克列皮科娃在《在克里姆林宫高墙后面》

（中译本由国际文化出版公司出版）一书中说：

> 在俄国历史的许多要素中，最悲惨的和最痛苦的是不断遭受外敌的侵略。在俄国 1000 年的历史中，鞑靼－蒙古人的统治几乎占了三分之一的时间。
>
> 这些民族灾难被记忆了下来……

然而，中国人面对征服，面对这样的民族灾难，有记忆吗？如果有，那么这记忆是真实的记忆、真相的记忆，还是被篡改的记忆?!

专制愚昧的天朝不是自清朝开始的，朱元璋就无法解释汉民族为什么会被元朝征服。因为天子是天下的主宰，于是，元朝依然是正统。

王朝史观实在是一种愚昧的历史观点，它无法解释民族、地缘的裂变。

18 世纪，东方帝国在康雍乾腊肉的强力打造下，向着更深的奴性进牢。

除了编辑《康熙字典》之外，腊肉还下令颁行十三经和二十一史到各州县。

1739 年，颁发《钦定四书文》。

1746 年，《明通鉴纲目》修成。

1773 年，开设四库全书馆，要把天下著作都统一到腊肉的思维方式上来。

1775 年，又下令查阅各省上缴的应毁书籍，并为个别书籍作结论。令文化弄臣们收集天下图书，"务须详慎抉择，使群言悉归雅正。"

1776 年，乾隆腊肉下令删改旧籍。也就是说，不仅要禁书，而且还要篡改别人的著作，撒谎到了恬不知耻的地步。

康雍乾腊肉所造的孽，绝不止于文字狱、思想狱，其实质是对东方民族民气的全面摧残和折磨。

四库全书

而康雍乾腊肉这些伟大的"政绩"一点都没有在影视剧中反映，这真是一件十分奇怪的事。

清朝两位思想家的真知灼见

"一人为刚，万夫为柔"。一根专制腊肉，搞得东方大地臭气冲天，玩残了千千万万中原百姓，许多人"入鲍鱼之室，久而不闻其臭。"

以21世纪文明的视野来看，专制统治下的所谓盛世、治世（比如清朝造出的康雍乾盛世，还造出了乾嘉盛世），所谓新政（比如同光新政），均是赤裸裸的谎言。稍微动动脑子就能明白，康熙腊肉之前，帝国的天下还未一统，还有人在为自由奋斗，天下还没阉阉然全化作奴隶、奴才，当然，腊肉们自己也不好意思称之为"盛世"；而康雍乾三根腊肉之后，烽火遍地，西方炮舰即将轰开大门，腊肉们再吹盛世，更是不好意思，于是就吹新政。新政？光绪腊肉还有点想革新的意思，无非也是在亡国亡权的逼迫下的思变；而同治，莫非新政到烟花柳巷？时人讽刺为"不爱家鸡爱野鸡，可怜天子出天花。"老凌说实话，这些清朝统治下的民谣作者，思想水平比辫子戏作者的水平都高。

腊肉们大兴文狱，禁锢思想，闭关锁国，好关起门来治理家奴。若干年后，清朝国的思想家龚自珍先生如何评价腊肉们的政绩呢？

"官吏士民，狼艰狈蹶，不士、不农、不工、不商之人，十将五六"，"自京师始，概乎四方，大抵富户变贫户，贫户变饿者，四民之首，奔走下贱，各省大局，岌岌乎皆不可支月日，奚暇问年岁？"（见《龚自珍全集·西域置行省议》）

"贫相轧，富相耀；贫者阽，富者贫；贫者日愈倾，富者日愈壅。"（见《龚自珍全集·平均篇》）

"官益久，则气愈媮；望愈崇，则谄愈固；地益近，则媚亦益工。"（见《龚自珍全集·明良论二》）

龚自珍先生哀叹人才的凋零，讽刺挖苦说：左无才相，右无才史，阃无才将，庠序无才士，陇无才民，廛无才工，衢无才商，抑巷无才偷，市无才驵，薮泽无才盗……（见《乙丙之际箸议第九》）

龚自珍先生更揭露了腊肉们恶毒的攻心术、洗脑术和宣传欺骗术："当彼其世也，而才士与才民出，则百不才督之、缚之，以至于戮之。戮之非刀、非锯、非水火，文亦戮之，名亦戮之，声音笑貌亦戮之。戮之权不告于君，不告于大夫，不宣于司市，君大夫亦不任受。其法亦不及于要领，徒戮其心，戮其能忧心、能愤心、能思虑心、能作为心、能有廉耻心、能无渣滓心。又非一日而戮之，乃以渐，或三岁而戮之，十年而戮之，百年而戮之。才者自度将见戮，则蚤夜号以求治；求治而不得，悖悍者则蚤夜号以求乱。"（见《乙丙之际箸议第九》）

腊肉们为了维护专制极权的绝对权威，他们"震荡摧锄天下之廉耻"（《龚自珍全集·古史钩沉论一》）。整个国家，上上下下假话连篇，逢迎谄媚、趋炎附势的无耻之徒高居庙堂，英才沦为下流，特立独行之士要么到监狱中寻找，要么刑场上见，整个社会万马齐喑、死气沉沉。

1899 年，清朝腊肉国行将走进坟墓的时候，谭嗣同的遗作《仁学》出版。

其中对专制的批判，尤其是野蛮专制的批判，值得一看：

天下为君主囊中私产，不始今日，固数千年以来矣。然而有如辽、金、元之罪浮于前此之君主者乎？……一旦逞其凶残淫杀之威，以攫取中原之子女玉帛，砺獠象之巨齿，效盗跖之奸人，马足蹴中原，中原墟矣，锋刃拟华人，华人靡矣，乃犹以为未餍。峻死灰复燃之防，为盗憎主人之计，锢其耳目，桎其手足，压制其心思，绝其利源，窘其生计，塞蔽其智术；繁拜跪之仪以挫其气节，而士大夫之才窘矣；立著书之禁以缄其口说，而文字之祸烈矣；且即挟此土所崇之孔教，缘饰皮传，以愚其人，而为藏身之固！悲夫悲夫！王道圣教典章文物之亡也，此而已矣！

夫古之暴君，以天下为其私产止矣，彼起于游牧部落，直以中国为其牧场耳，苟见水草肥美，将尽驱其禽畜，横来吞噬。且其授官也，明明托人以事，而转使之谢恩，又薄其禄入焉。何谢乎？岂非默使其剥蚀小民以为利乎？

虽然，成吉思之乱也，西国能言之；忽必烈之虐也，郑所南《心史》纪之；有茹痛数百年不敢言不敢纪者，不愈益悲乎！《明季稗史》中之《扬州十日记》、《嘉定屠城纪略》，不过略举一二事，当时既纵焚掠之军，又严薙发之令，所至屠杀掳掠，莫不如是。即彼准部，方数千里，一大种族也，遂无复乾隆以前之旧籍，其残暴为何如矣。亦有号为令主者焉，及观《南巡录》所载淫掳无赖，与隋炀、明武不少异，不徒鸟兽行者之显着《大义觉迷录》也。

……其祸可胜言哉？

谭嗣同的以上文字可以为清朝腊肉们的丰功伟绩作一完美鉴定。

凌沧洲给谭嗣同这一大段文字梳理出关键词几个：征服、钳口、掠夺、无赖。

谭嗣同提到文字狱，提到中原百姓被征服的血泪史，西方国家都能记录言说，但中国人自己不能。被屠杀已经够可悲的了，不能说被屠杀再可悲。

谭嗣同

还有，谭嗣同也提及乾隆腊肉屠杀准噶尔部的历史，并且指斥他们篡改历史的无耻。康雍乾腊肉们的南巡，无非是隋炀帝行为的翻版而已。谭的思想觉悟，比今之捧康雍乾腊肉臭脚者，又何止高明百倍！

康雍乾腊肉，是一个悲怆时代的碾碎机，碾碎了中原百姓的自由、人权和思想进步的可能，把中国碾碎成世界文明的孤儿，把中国成千上万的男女变成了没有灵魂的行尸走肉，变成了精神太监，令中华文明堕入万劫难复的深渊。

清王朝的最后报应

1928 年 7 月 5 日，统治中国达两百多年的清王朝终于遭到了最惨烈的报应。

下午，清朝王陵炸药爆发，声震山谷。此次暴力和野蛮考古（实际上也可以说是盗墓）的对象是乾隆的裕陵和慈禧的东陵。

8 月，消息传到溥仪的耳中，令其大受刺激。8 月 18 日，清朝宗室前往被盗地区查看情况。

清朝遗老们从墓地发回如下报告——

关于乾隆弘历先生：

> 乃募人俑入探之，果得头颅骨一。命检验吏审视，确为男体，即高宗也。……下颊已碎为二……腰肋不甚全，由缺左胫，其余手指、足趾诸零骸，竟无从觅。

遗老们见状，老泪纵横。"一代伟人"、"盛世明君"的弘历先生，"十全天子"、"古稀老人"的乾隆先生，竟然受到这样的待遇！头骨之所以不全，据说是盗墓者要从其口中撬取夜明珠。同时遭难的有孝贤皇后与皇贵妃三位的骸骨。

关于慈禧女士：

> 开视慈禧玉体在焉。面朝下……头发散乱，上半露体……遍身皆生白毛。

凌沧洲先生评曰：这是 20 世纪来临时野蛮的暴举，对亡灵和死者的糟蹋；但同时，又是清朝王朝最后的报应，因为他们所作的恶，所造的孽实在太多了。

乾隆裕陵地宫

13 世纪 80 年代，当江南刚落入胡人之手时，番僧杨琏真珈就盗取了宋帝之墓，当时尚有义士林景熙等人冒死收集宋帝遗骸，但历史著作对此讳莫如深，我还是读林景熙的诗歌注释时才了解到这一幕。

慈禧

若干个世纪过去了，风水轮流转啊。

弘历先生，在你对中华民族进行文化和精神摧残，遍兴文字和思想大狱的时候；在你逮捕、屠杀、折磨无辜的人，甚至违背东方习俗掘墓挫尸的时候，没想到自己也有这一天吧？

每一样邪恶都有它最后的报应。想一想，如果不是死后还要糟蹋百姓们的血汗，可能对盗墓贼的吸引力就小多了。

清朝的邪恶，在于当世界文明日益进化、自由人权越来越得到保障的时候，它却将中国隔离于世界之外，使其成为世界孤儿。

十全天子骨难全，慈禧玉体露白毛。当清王朝和其统治者的报应来临时，又有谁能阻挡得了呢?!

清朝的攻心术与切尔诺贝利

二十年前，在切尔诺贝利核电站的 4 号反应堆控制室，操作员的一连串致命错误引发了那场举世罕有的核事故。二十年过去了，切尔诺贝利仍然未能从灾难中复苏。据乌克兰卫生部公布的数据，在乌全国4 800万人口中，共有包括47.34万儿童在内的250万核辐射受害者仍处于医疗监督之下。

核电站方圆30公里范围内，是被当局划定的"禁居地"。在这里，随处可见残破的居民楼、杂草丛生的院落、废弃的设施和人们匆忙撤离时留下的物品。由于久无人烟，这里已经成了远近闻名的"鬼城"。最可怜的是那些灾难发生后出生的孩子。大批孩子因他们的父母体内或血液中含有辐射物，从生命形成的那一刻起，就带有先天性疾病。畸形、癌症、败血症已成为虐杀这些无辜儿童的主要杀手。

然而，切尔诺贝利最为险恶的遗赠，恐怕还是心理创伤——那些家园尽毁、流离失所的人们，以及数百万仍然留居在被污染的土地上的人们，他们所承受的心理创伤。明斯克物理学家米哈伊尔·马利科说："心理上的后果一直是毁灭性的，许多人觉得自己终将死于切尔诺贝利事故。"

（《切尔诺贝利的伤口》，新京报2006年4月27日）

物理学家米哈伊尔·马利科的判断，为凌沧洲先生判断清朝对中华文明的劫持提供了思想上的启发：清王朝就是中国的"切尔诺贝利"，清朝幽魂，就是中国的"切尔诺贝利"后遗症。

中世纪的中华文明之所以衰败，不仅与中华文明本有的文化基因的缺失有关，与宋后的异族入侵，也大有关联。尤其是清朝的文字狱，就是中国的"切尔诺贝利"高潮。谁在看到朋友、亲戚因为吟一首诗歌、编个字典、收藏一副字画或书而遭到砍头的命运后会不感到恐惧？谁在看到朋友的妻子、儿女被发配给黑龙江披甲人为奴，祖先被刨棺、挫骨扬灰后，还敢乱说话而招致祸患？

清朝已经给这些奴隶们生存的权利了，但不包括言论的权利。

凌沧洲先生觉得很奇怪：许多俄国的文豪都谴责蒙古人的奴役对他们国民性的伤害，而中国的诸公对此却很漠然。反之，讴歌清朝的小说、电视不绝如缕，好一派"反把他乡当故乡"的戏剧场面。

心理上的后果是毁灭性的，许多人已经或者终将死于清朝的文字狱和文化上的强力洗脑，至少，那些热捧清朝王权和朝廷的人是这样。

虽然，清王朝的实体已经消亡，但是，康雍乾腊肉的神话仍然迷惑了不少人，荼毒了不少人，影视剧的推波助澜也难辞其咎。然而，天道昭昭，总有一些不甘受迷惑、不愿听谎言的人会去寻求真相，传播真相。

"达摩东来，只要寻一个不受人惑的人。"

凌沧洲先生不敢说自己已然不受惑，但是，敢说自己愿与无数不愿受惑的人一道探求事物的真相，追溯中国先民们苦难和不幸的根源，即使这伤口让人不忍正视，但仍然勇往直前。

领袖们的西门庆综合征

> 上阳人，红颜暗老白发新。
> 绿衣监使守宫门，一闭上阳多少春。
> 玄宗末岁初选入，入时十六今六十。
> 同时采择百余人，零落年深残此身。
> ——白居易《上阳白发人》
> 嘿，生活在汗臭垢腻的眠床上，
> 让淫邪熏没了心窍，在污秽的猪圈里调情弄爱……
> 向上天承认您的罪恶吧，忏悔过去，警戒未来；
> 不要把肥料浇在莠草上，使它们格外蔓延起来。
> 原谅我这一番正义的劝告，
> 因为在这种万恶的时世，正义必须向罪恶乞恕，
> 它必须俯首屈膝，罪求人家接纳它的善意的箴规。
> ——莎士比亚《哈姆莱特》

玻璃笼子里的下半身

1998 年秋天，是人类性权力史上的重要时刻。美国的政治家、媒体人士、普通民众都把目光紧盯在克林顿的下半身和"小脑袋"上。他们美国的"国长"比尔·克林顿先生的"小脑袋"是否乱动到足以违法的地步，"国长"与小蜜莫妮卡·莱温斯基的性过程究竟如何，"国长"是否滥用性权力、滥用公权力谋一己之性享受，"国长"究竟有没有撒谎……一切都已进入他们的审判程序。

在 2005 年，小布什说："人类的文明进步就是把权力者像狮子一样关入笼子，现在我就在笼子里面和你们说话。"可以说，1998年，美国的统治者不仅被民主、自由、人权的体制关入了笼子，连他们的下半身和"小脑袋"都关入了玻璃笼子，既不能用权力来交换性贿赂，也不能用权力来交换性服务。

这是自由民主的力量，当然自由民主不是万能的，像肯尼迪、密特朗这样的花花公子，西方的准西门庆，就巧妙地逃脱了新闻自由、权力制衡的点射，肯尼迪与梦露的性事是否建立在滥用权力的基础上，我手边没有相应的证明材料，至少密特朗看上去比西门庆毫不逊色，以下是一位学者的描绘——

一个相貌堂堂的政治家，一个活跃热情的男子汉，怎么不叫女人心动。密特朗又偏偏是个多情的种，他喜欢女人，哪怕再忙，只要他心仪的女人有约，他总能挤出时间来。密特朗从不讳言这一点，他周围很多人都知道他的这句话：政治在我的生活中并不占第一位。在密特朗死后，他的一个助手写了一本叫《左行》的书，把他描绘成风流成性的人，曾经一个晚上分别和三个情妇偷情，还和中东某国的王后幽会。上世纪 60 年代初，密特朗邂逅 18 岁的安尼小姐——巴黎罗浮艺术学校的高才生。安尼的父亲是法国的一位著名实业家皮埃尔·潘若，密特朗是应潘若先生之约，到潘府赴宴见到安尼的。两人很快陷入情网。密特朗是有妇之夫，这一点叫当地名门潘若一家难以接受。好在总统有了权力。这位新任法国总统很快把自己的情人安排得十分妥当，他在附属于爱丽舍宫的布朗利码头 11 号住宅楼的四层，安排了一套豪华住房，安尼母女搬了进去。

而三楼，密特朗安排了自己的亲信格罗苏弗尔。而整栋楼住的都是总统特别参谋部的高级军官和爱丽舍宫的几位特权官员。从他们嘴里，什么秘密都出不去。总是藏在这栋楼里，再豪华也腻味，所以，密特朗还为母女俩安排了一处乡间别墅，是位于巴黎附近的苏齐拉布里西城堡，精美的建筑隐藏在 240 公顷郁郁葱葱的树林中。在密特朗的整个任期里，他常常借口工作，溜进布朗利码头 11 号，或者躲到苏齐拉布里西城堡，和安尼共度良宵。（节选自周志兴《钢丝上行走的总统》）

在有着自由、民主、人权传统的法国，领导者都可能滥用权力、滥用纳税人的钱来为自己的"小脑袋"服务，又怎么能指望专制极权国家的酋长们不滥用性权力呢？

让我们的目光从当代西方回到古代中国，如果我们研究一下中国宫廷的历史，就会发现，那里正是大小西门庆的聚居地。

性权力史上的"大巫"们

大约在 16 世纪左右（明代中后期），我们的帝国文坛糜烂不堪，不仅涌现出才子屠隆这样男女通吃的双性恋，而且赤裸裸描写性爱的文学也跃马文坛。这些文学在描写男女之间灵与肉的交流时，更多地把性事看做了男与女的"肉搏"，是一种"战争"。我们看一看《金瓶梅》中描写性活动的诗歌就一目了然。明帝国人们的感情与肉体欲望面临如此大的撕裂，一方面，社会的说教、主旋律要求人们道貌岸然，另一方面从皇帝的后宫到普通地主的家庭，性生活普遍淫荡糜烂。《金瓶梅》应运而生，它为我们的帝国文坛奉献了一位淫

棍的典型。如果说《水浒传》中的西门庆还是一个破落户的角色，那么《金瓶梅》的西门庆就是泡妞狂加恶霸加师奶杀手的角色，最后在与女人的"肉搏"过度中死去。西门提刑官"潘驴邓小闲"（貌帅，性能力强，有钱，脾气好，还有自由时间可支配）样样了得，最重要的是，他知道怎样滥用权力来为自己的小脑袋服务。比方说，西门庆在与王六儿上完床后即在司法审判中为王六儿请托的人开脱。

然而西门庆先生比起我们伟大帝国上下几千年的那些君主，又是小巫见大巫了。如果我们从性权力发生学、统计学、社会学、政治学等方面进行严肃的学术比较，就不能不悲哀地承认：西门庆在极权、专制的性奴役史、性淫荡史、性盘剥史、性交易史上的手段太小儿科了。把西门庆称之为淫棍，那么那些比西门庆更大权在握的皇帝就得称之为"淫霸"或"淫荡之神"了！

我们第一个大帝国的老板嬴政先生，雄霸天下，一扫六合，虎视人民，"每消灭一个诸侯，就仿照该国宫室，在咸阳北面建立宫殿，宫殿绵延不绝，从各诸侯国掠夺来的美女，充盈其间。"史料上记录："后宫列女上万人，气上冲于天。"这气，是嬴政先生的淫暴之气，是后宫无辜女性的怨愤之气，是暴政淫政下百姓的血泪之气。

这个大秦帝国的西门庆是否令《水浒》和《金瓶梅》中的西门庆望尘莫及？《水浒》和《金瓶梅》中的西门庆最多是偷偷摸摸，最多是与淫妇合谋人命，而帝国皇帝却是凭着堂皇的理由把上万女人圈入自己的后宫，其性独裁、性霸权却无人谴责？岂非"窃钩者诛，窃国者侯"在性权力上的翻版？岂非是"偷鸡者诛，偷天者神"，"淫一人天下共指，淫万人或淫天下，而众生皆颂万岁"？

秦始皇

　　与嬴政先生"后宫列女上万人"的"大功德"相配合的是，大秦帝国的堵嘴工程、阉割工程和歌功颂德工程。丞相李斯先生"冒死"上言"陛下"："古代天下分散混乱，没有谁能够统一，所以诸侯同时兴起，说话称道古人而妨碍当今，粉饰虚言而扰乱实际，人人都赞美自己私下所学的知识，诽谤在上位者所制定的政策法令。现在皇帝一统天下，分辨黑白，一听到朝廷举措，就各以所学又结成群党反对法令教化，一听到朝廷举措，就各以所学来进行评议——如果不禁止，君威下降，朋党形成。要禁止才好，我请求陛下下令，让史官把不是记载秦朝的典籍一律烧毁。不是博士官的职务，而敢收藏《诗》《书》、诸子百家著作的，全部搜出，送到官府去一起烧掉。有敢在一块儿谈议《诗》《书》的处以死刑示众，借古非今的满门抄斩。官吏如果知道而不举报，以同罪论处。命令下达三十天仍不烧书的，处以脸上刺字的黥刑，并处以城旦之刑四年，发配边疆，白天防寇，夜晚筑城。所不取缔的，是医药、占卜、种植之类的书。如果有人想要学习法令，就以官吏为师。"这种走狗官僚的马屁建议一经上奏，正和暴君的心意，嬴政先生批示曰："可以。"

　　为了能够使自己的淫乐合法化，嬴政先生构建了对言论自由强力打压的体制和风俗、文化。但是天下不满的潜流依然汹涌，怎么办？好办，刀把子与笔杆子双管齐下，修阿房宫和骊山墓不是需要人力吗？"受过宫刑、徒刑的七十多万人，分别被派去修建阿房宫，有的去营建骊山。"请注意七十万的数目，如果其中有十分之一的人是受过宫刑的，那被阉割的数目也达七万——这个帝国在创建其文字、度量衡、长城等文明的盛典的同时，难道不是和阿兹特克人一样野蛮吗？阿兹特克人是用活人来献祭，而秦帝国是把大批活人阉割。

与此同时，嬴政先生每巡视一处，就得树立石碑，歌颂皇帝的功德，公元前 219 年在邹县峄山，前 218 年在芝罘山、在琅邪山，前 215 年在碣石山，几乎每处都有帝国宣传的杰作。公元前 210 年嬴政先生登上会稽山，祭祀大禹，遥望南海，并在那里刻石立碑，颂扬秦朝的功德。碑文竟然是："皇帝功业伟大，统一平定天下，德惠深厚久长。三十七年，亲自巡行天下，遍游观览远方。登临会稽山峰，考察民间习俗，百姓恭敬景仰。群臣齐颂功德，推原皇帝事迹，追溯英明高强。秦朝圣土登位，创制刑法名称，阐述旧有规章。建立公平法则，审慎区分职责，确立永久纲纪。六国之王专横，贪利傲慢凶狠，凭借人多逞强。暴虐横行无忌，倚仗武力骄横，屡动干戈打仗。暗中安置坐探，联合六国合纵，行为卑鄙猖狂。对内说谎狡诈，向外侵我边境，由此引起祸殃。仗义扬威诛讨，消灭凶暴叛逆，乱贼终于灭亡。圣德广博深厚，天地四海之内，恩泽覆盖无疆。皇帝统一天下，一人兼理万机，远近到处清明。执掌管理万物，考察验证事实，分别记录其名。贵贱都能相通，好坏当前陈述，无人隐瞒实情。治有过扬道义，有夫齐子而嫁，背夫不贞无情。以礼分别内外，禁止纵欲放荡，男女都应洁诚。丈夫在外淫乱，杀了没有罪过，男子须守规程。妻子弃夫逃嫁，子不认她为母，都要感化清正。治理荡涤恶俗，全民承受教化，天下沐浴新风。人人遵守规矩，和好安定互勉，无不顺从命令。百姓美善清洁，全都自愿守法，乐保天下太平。后人敬奉圣法，大治大安无边，车船不翻不倾。众臣颂扬功业，请求刻石作铭，传千古放光明。"

每个统治者都会有自己的宣传说辞，都会有自己的凯旋门和功德牌坊。而像嬴政先生这样的无耻之徒则是帝国文明史上的开创先

河者，碑文通篇充斥着虚伪和谎言。

会稽刻石

但是这一切挡不住死神镰刀对嬴政的收割。从会稽山回来的途中，帝国的"超级西门庆"就病死途中，臭气四溢，"嬴政梓棺费鲍鱼"。9月，把嬴政安葬在骊山。嬴政的儿子胡亥说："先帝后宫妃嫔没有子女的，放她们出去不合适。"于是，命令这些人全部殉葬，殉葬的人很多。下葬完毕，有人说是工匠修造了墓室，墓中所藏宝物他们都知道，宝物多而贵重，这就难免会泄露出去。隆重的丧礼完毕，宝物都已藏好，就封闭了墓道的中间一道门，又把墓地最外面的一道门放下来，工匠们就全被封闭在里边，没有一个再出来的。最后在墓上栽种草木，从外边看上去好像一座山。（见《史记》）

今天，当我们走过帝国大地上埋葬过君王的山峦，望着青葱的林木，不妨仔细听听地层深处的声音——有没有那些被蹂躏的美女的哭泣和叹息，有没有愤怒的叫骂与呐喊？

制度化的西门庆

台湾作家柏杨在《化淫棍为圣明》中说：

史书上说，中国皇宫里的宫女都是穿开裆裤的，盖皇帝老爷一时兽性大发，迫不及待，就可当场推翻。如果裤子有裆，还要解衣宽带，就扫了龙兴矣。这不是说洋皇帝都是好货，而中国皇帝天生的淫棍色狼。而是普遍的权势崇拜，把他们崇拜成活畜生啦。前已言之，一旦崇拜权势，就不能崇拜是非。有权的就有理，不但没有人敢吭一声，还更进一步的替有权的朋友制造理论根据。于是乎，有权的朋友遂洪福齐天，而化淫棍为天子圣明，化杂交乱交为正式国家的法制和社会规范。就在周王朝时，皇帝就可以合法地拥有一百二十一个妻子（真教我老人家吃醋）。计皇后一人，每隔半月陪皇帝上床一夜。夫人三人，每隔半月二人共同陪皇帝上床一夜。九嫔九人，也是每隔半月共同陪皇帝上床一夜。世妇二十七人，每隔五天，抽签抽出三个人陪皇帝上床一夜。女御八十一人，在剩下的十四天中，每天由五个或六个人共同陪皇帝上床一夜。

——这种桃花运现在听起来有点荒唐，但这却是圣人们帮凶代定的，君如不信，请看《礼记》内则原文：女御八十一人，当九夕。世妇二十七人，当三夕。九嫔九人，当一夕。三夫人，当一夕。后，当一夕。十五日而偏。

十五日而偏者，半月一循环，而且圣人也者，还苦心孤诣地为该淫棍排好了性交日程表，公平分配，你要想单独的颠鸾倒凤，必须升到皇后的地位才行，否则的话，就得大家都脱得赤条条，任凭有权的家伙当众乱搞。

一个皇帝竟有那么多妻子，天天晚上都得大荒唐而特荒唐，真是人类历史上罕见的大嫖客，难怪中国皇帝差不多都是短命鬼。但这些似乎仍不能过瘾，于是到了汉唐宋

几个王朝，后宫的太太小姐，简直几千几万，而这些太太小姐的来源，不是薪给制，也不是买来的，而是抢来的，抢的时候跟土匪抢良家妇女没有分别，不过忠义堂变成了金銮殿，抢女人变成了选秀女。然而最狗娘养的，莫过于专门抢他部下的女儿。想一想这是个啥场面吧，大嫖客派出爪牙，把高阶层合乎年龄的女孩子都"宣"到殿上，吊起眼角，左挑右挑，一挑就是一批，然后赶到后宫，当晚就一一嫖之。斯时也，那些女儿被大嫖客狂嫖了的老爹，一个个满面光彩，高兴得捶胸打跌；不但高兴得捶胸打跌，感恩戴德，还要杀身以报哩。《红楼梦》上贾元春女士不过大嫖客怀里一个娼妓罢啦，可是你瞧瞧她家的荣耀和感激入骨之状，真使人打呃。

柏老是性情中人，不作道学先生状，大谈对这种西门庆式的待遇的羡慕：真教我老人家吃醋。然而中国文明在漫长的黑暗岁月，就是没有像罗马文明一样进化出一夫一妻制度。

柏老以打破大酱缸的大无畏精神，以锥心剥皮式的语言，揭露和批判了极权、专制社会性权力的真相，揭下了神圣的画皮。但是以嫖客来比喻皇帝，还未免高估了皇帝的道德，毕竟嫖客是要付出嫖银的，是妓女"饭票银票"的所在。皇帝却是流氓淫霸，靠武力夺得天下后，据天下为一己之私。

在这里，我们必须将世界文明进行横向的比较。虽然我们耳熟能详的论调告诉我们："四大古文明是埃及、巴比伦、印度、中国，所有古老文明中只有中国文明没有火绝过，还延续至今。"这个论调活活地把希腊文明、罗马文明排除在古文明之外，也否认了希腊文明、罗马文明浴火重生的事实——谎言背后的动机就是恐惧：希腊

焚书坑儒

文明包含的民主、开放，罗马文明包含的自由、民选会对专制、极权产生解毒剂的作用。希腊文明中的批判怀疑精神，对于东方皇帝西门庆式的梦想绝对是威胁和挑战，这也是嬴政和李斯之流为什么要杀人焚书、钳口阉割的原因。

历史上，越是短命的王朝其国君就越是淫暴，这有两种可能：第一，因为其更加淫暴，所以国家灭亡得也更快；第二，他们的淫荡残暴也就是一般及格的水准，但是出于政治斗争抹黑对手的需要，后来的王朝，其宣传机构、御用笔杆必须添油加醋，从性道德上把他们的棺材盖钉紧。所以，我们读中国王朝的历史，比如宋齐梁陈，比如南北朝，比如五代十国，比如隋朝，其中淫暴的超级西门庆就特别多，制度化的、披着合法外衣的超级西门庆也特别多。

化家为国、化国为家的"超级西门庆"

公元 616 年，中国北部边疆多次遭到突厥的侵扰。执政中国的"超级西门庆"杨广命令：太原留守李渊和马邑太守王仁恭共同抗击，但两将领抗击不利，杨广要拿他们到江都治罪，抗敌不力的李渊耍滑头，一面托辞不去，一面故意装作纵情酒色，迷惑杨广。李世民开始劝说父亲造反："今主上无道，百姓穷困，晋阳城外皆为战场。大人若守小节，下有寇盗，上有严刑，危亡无日。不若顺民心，兴义兵，转祸为福，此天授之时也。"李渊一面大惊，一面演戏说要把儿子告官。李世民说："世民观天时人事如此，故敢发言；必欲执告，不敢辞死。"李渊于是收起演戏的面具说："我哪忍心告你，你也千万小心别再说了。"第二天，李世民还是劝说李渊，告诉他这是唯一的救祸之策，李渊长叹一声说："你的话我想了一夜，也很有道理。今日破家亡躯亦由汝，化家为国亦由汝矣！"

李渊说出了家天下社会中所有权力者的内心驱动，说出了缺乏自由与民主基因的封建社会中权力的真相。尽管从历史的结果来看，大唐帝国是中华强盛和开放的年代，也是充满信心的时代，这两个唐代君王在历史上算得上明君，尤其是李世民在文治和武功方面可以说是中国封建历史上最好的皇帝。《旧唐书·太宗本纪》记载：公元626年"九月初一，突厥的颉利可汗献马三千匹，羊一万口，太宗不受，命令颉利归还掳掠的中国人口。"这是帝国盛年才有的风采和气势，这样的盛世不是值得怀念的吗？

然而，即使是在帝国花团锦簇的盛世，那潜藏在风俗、文化、体制下的暗流和污垢也让人触目惊心。《新唐书·太宗本纪》不经意间就流露出帝国"西门庆体制化"的秘密。626年，玄武门政变后，李世民登基。"十月初八，放出宫女三千人。"这当然是新皇帝李世民的仁政。然而我们可以想一想，究竟是谁把这三千宫女纳入宫中的，这不是杨广吧？放了三千宫女，那么我们可以推测，老皇帝的后宫究竟有多少宫女，而新皇帝的后宫又有多少宫女？

唐高祖李渊

现在我们已经完全看到了"化家为国"的投资回报，家既是国，

国就是家，举国之女子，只要天子需要，皆可成为性奴。

在汉帝国的末年，那时中国的民气还未被完全折服，官员中敢言的也大有人在。

134年，周举这样对皇帝说："陛下处在贤明执政的位子，但没有行贤明之政，内积怨女，外有旷夫。不但陛下这样做，太监们也假戏真唱，威侮良家，娶女禁闭，女子到白头而死都无配偶，违背天理啊。陛下应该放出后宫不御之女，平反天下冤枉之狱，除去过于豪华的伙食的费用。"

165年，刘瑜上书皇帝说："古时候天子一娶九女，现在美女娇娃，充积后宫，都要好好打扮装饰，吃喝精美，耗费精神，滋生疾病。不仅国家要耗费，皇帝身体也劳损。天地的规律是阴阳和谐，这样阴阳隔绝，就会发生旱灾和水灾。况且宫女自少年到年老，幽藏到死亡。太监们却也娶妻。这些人的怨毒之气，会滋生妖孽啊。路上的行人都传说，当官的抢掠人家的闺女，娶了又立即抛弃，大家都惊惧。这么许多民众的怨愤，难道没有感应吗？"

166年，荀爽上书皇帝说："我听说后宫采女五六千人，从官服侍的还没算在内。冬夏的衣服，早晚的饮食，哪样不是要耗费国库的银子？使无辜的百姓加重税负，来供养无用的宫女，百姓穷困于外，阴阳隔塞于内。所以灾祸发生。我建议：只要是非礼聘未曾幸御的宫女，一皆遣出。这真是国家的弘利，天下人的大福。"（均见《后汉书》）

帝国末年的仁人君子们是这样劝谏皇帝的。从他们的言辞中，尚可看出，这些人的精神骨骼并未被完全摧折，并未被完全奴化。他们从天理人伦的角度，从百姓的税负角度，指出了这种"超级西门庆"玩过头了。

舆论总还是有点力量的。在汉帝国末年，另一位大丈夫，朝廷的要员陈蕃也在上书中谈到这种西门庆化的情况要有所收敛："又连年征收赋税，十伤五六，万人饥寒，民不聊生，而采女数千，食肉衣绮，脂油粉黛，无法统计。俗谚言'盗不过五女门'，以女贫家也。今后宫之女，岂不贫国乎！是以倾宫嫁而天下化，楚女悲而西宫灾。况且把这些宫女聚居而不御，她们必生忧悲之感，以致并隔水旱之困。陛下应该广泛听取意见，择从忠善。"

合理化建议得到了部分的采纳，皇帝放出了宫女五百余人。

汉代宴舞图

我们注意到这些人臣们共同提到的一个词是"不御"，也就说皇帝没工夫或没体力去"御"的那些宫女，应该在放出的行列。"御"了的宫女，官员们是不敢建议放出宫的。性资源的不对等，也确实使这种"超级西门庆"心有余而力不足。毕竟有人敢干涉皇帝的性生活，毕竟五百余名宫女因为这种人道主义的呼吁而赢得了相对的自由与幸福——尽管我们也可以设想，皇帝也大可以玩一把清理后宫内存，升级换代的工作，一些老宫女放出去，隔段时间再采取一些新鲜的宫女进来嘛。

围绕着这些"超级西门庆"的财政、税负、资源垄断还有很多佚事。有时不仅是"超级西门庆"垄断后宫宫女的性资源，偶尔也有"超级西门庆"自身的性资源被某女强人垄断的例外。请看：

"天宝五载后，杨贵妃专宠，后宫人无复进幸矣。六宫有美色

者，辄置别所，上阳是其一也。贞元中尚存焉。"李隆基是否绝对被垄断住了，尚无铁证。不过诗人白居易有诗歌道：

> 上阳人，红颜暗老白发新。绿衣监使守宫门，一闭上
> 阳多少春。玄宗末岁初选入，入时十六今六十。同时采择
> 百余人，零落年深残此身。忆昔吞悲别亲族，扶入车中不
> 教哭。皆云入内便承恩，脸似芙蓉胸似玉。未容君王得见
> 面，已被杨妃遥侧目。妒令潜配上阳宫，一生遂向空房宿。

白居易并写道："天宝末，有密采艳色者，当时号花鸟使。吕向献《美人赋》以讽之。"

这是在几千年文网密布的中国，在官方修定史书、主控话语权力的中国，偶尔不经意间从文缝中流出的真相。这些超级西门庆不仅有正规的程序来采收美女，还可以秘密地收集美女，号"花鸟使"。这就是制度、文化、风俗的腐败，一般的盗贼采花猎艳，称之"采花大盗"，而真正的"采花大盗"派出的爪牙、帮凶，则称之"花鸟使"。

鬼魂·变种·遏制对策

人们可以找出种种理由来宽恕古人，但是我确实找不出为这种超级西门庆制度辩护的理由。

1960 年在河北满城汉墓中，出土了一个有中国特色的文物——铜阳具。据专家考证，这是西汉中山靖王刘胜为他那些不能满足的妻妾们设计的。中山靖王这人可是所谓的仁义之君刘备先生的祖先，看来在对待妻妾的性生活方面也颇为"仁义"。刘胜先生大小老婆很多，一百多个。刘先生的男性性资源有限，而后院中的女性性资源

又很辽阔。怎么办？女人去偷汉子，红杏出墙，不符合国家的礼法，刘胜先生就"以人为本"，设计了铜阳具，发给他的大小老婆用，以便在刘胜先生性活动忙不过来的时候让女人自慰一下。

多么"仁义"和"仁慈"的超级西门庆啊，满足了自己的欲望，似乎还"满足"了众可怜女性的性欲望。但是，我要说：违背人性的事物、风俗、文化可能会相当长时间存在，但在大气环流的影响下，终究要改变其状态。

官场龟缩术
——唯有滑头狂才能生存

> 君子可以仕，可以不仕，
> 用舍由时，行藏在我。
> ——苏轼

马屁术千古一绝的官场老手

公元954年，一个73岁的官场老人去世，书写了一个四朝元老不倒翁的神话。在那个"人生七十古来稀"的岁月，在那个战乱频仍、生灵涂炭的岁月，这个人以其独特的生存观念活了这么长时间，而且在四个王朝居相位二十几年，没有点心胸可能是不行的，没有点厚脸皮恐怕也是不行的。你可以开玩笑地说，他就是那个时代的"世纪老人"，真是跨了世纪啊。在他老人家的"回忆录"和"履历表"上，罗列了一大堆官职——将近30个左右，现代人要读完这30个左右的官职，那就要拿出耐心来。

这位官场的"生存艺术大师"名叫冯道。《新五代史》的编修官欧阳修很是看不起这位老滑头，指斥道：礼义廉耻，国之四维；四维不张，国乃灭亡。我读冯道《长乐老叙》，见其自述以为荣，这个人可以说是没有廉耻的人，从他就可以看出天下、国家的命运。我曾经读过五代时的一篇小说，记录王凝妻李氏的事。王凝因病死在任上，家里一向穷，一子尚幼，李氏携其子，背着王凝的遗骸回乡。路过开封，住旅馆，旅馆老板见这妇人独携一子而疑之，不许她住宿。李氏看着天色已暮，不肯离去，主人牵其臂而赶她出去。李氏仰天长恸：'我为妇人，不能守节，而这手为人捏住了啊？不可以因为一手而玷污了我的身体！'于是拿斧子自断其臂。路人见到，有感叹的，有流泪的。开封的长官听说，把这事禀告朝廷，当局赐药封疮，厚恤李氏，鞭笞旅馆老板。啊，士不自爱其身而忍耻以偷生的人，听说李氏之风，应该稍稍知道点羞愧啊！

除了妇人断臂的故事过于残忍不值得提倡外，欧阳修骂得确实痛快。有现代评论家为冯道翻案，说欧阳修一味站在道德立场上严谴冯道，却没看到冯道"大事不糊涂"和所谓的救了许多中原人的性命云云。可是我们不要忘了，君主政体是需要荣誉感支撑的，假如礼义廉耻不顾，则帝国无疑将滑向野蛮和专制；而在所谓救人一事上，冯道老先生究竟有多少功劳，究竟是不是契丹君主的战略需要，还得细细研判。

契丹人攻下汴州后，耶律德光曾问冯道："天下百姓如何救得？"冯道用诙谐的话回答："此时佛出救不得，唯皇帝救得。"当时的人都认为"契丹不夷灭中国之人者"，都因为冯道这句话说得好。

在我看来，这句话当然说得幽默，但更是马屁史上的千古一绝，非官场厚脸皮不能为之，没有多年浸泡官场的功夫也不能练就如此胆气。实际上，人们完全夸大了这句话的作用，契丹人的战略决策如果是开屠，那一万句马屁也是没用的；而契丹人要争取民心，要驱动这些中原百姓为之效力、为之造血，那有一句千古马屁，顺水推舟，也是乐得的。我们常看到古代战争往往以掠夺到了多少人口、

契丹人

牲口作为衡量战争结果的标准，人口和牲口是一样重要的，只有当征服者实在是被惹恼了或是为了达到惩戒的目的，才会大开杀戒。

冯道其实是古中国官场中一个典型的灰色样本，在古中国强调道义、勇气和荣誉的士风中，冯道是另类。可以说冯道先生的情商很高，有点大智若愚，还经常能自嘲解围。

契丹灭晋后，冯道投靠了契丹，朝见耶律德光于京师。耶律德光指责冯道为晋服务时没什么可取的地方，冯道不能回答。

耶律德光又问："为什么要来朝见我？"

冯道回答："无城无兵，安敢不来。"（以坦诚博取新老板的欢心。）

耶律德光嘲笑说："你是什么样的老子？"

冯道回答："无才无德痴顽老子。"（自嘲，自贬，龟缩！）

耶律德光高兴了，任命冯道为太傅。多么成功的一次官场求职面试啊！统治者最需要这种看似弱智又能娱乐的奴才了。

冯道在乱世能高居相位二十几年，也不能说完全靠面厚心黑作为一个没有廉耻感的士人，他也具备了许多领导者的素质，比如能吃苦，比如心胸宽阔。再有，从成功学的角度看来，冯道老儿的心态是十分乐观的，这点是许多士人不及他的地方。他年轻的时候写过一首诗，或许可以将之看做险恶官场的一根"定海神针"和乱世的"处世法宝"——

莫为危时便怅神，前程往往有期因。

终闻海岳归明主，未省乾坤陷吉人。

道德几时曾去世，舟车何处不通津。

但教方寸无诸恶，虎狼丛中也立身。

如果不看冯道的作为，你或许会认为这诗还是不错的，至少它

洋溢着乐观和胆气。

和另一些人的诗相比，如唐帝国高适先生的诗："拜迎长官心欲碎，鞭挞黎庶竟可悲。""龙钟还忝二千石，愧尔东南西北人。"冯道做官和写诗的境界都要低下。但专制官场采用的原则基本上都是反淘汰法，有良知、正义感强的人很快就会被刷下，所以冯道先生能逍遥不倒，活到垂暮之年依然荣华富贵并不是怪事，因为官场龟缩术是官场环境的需要，正如变色龙以其独特的变色术来适应大自然一样。

马屁虫让统治者体会到深深的快感

秦帝国末年，暴政终于激发了大规模的民变，陈胜揭竿而起。一般来说，身在末世、乱世的官场，就更加凶险。因为太平岁月，各种矛盾在火山底下挤压，压力不够明显，无法反射到官场。而一到末世之年，火山喷发，矛盾激化，压力冲击朝廷和官场，末世统治者又基本上属于无能昏聩之辈，肯定要拿出几个看似聪明实则愚笨的"官崽"来祭祭威力之刀，一来排泄心中怒气，二来也是要用恐怖加强其行将崩溃的威权。

三十多个博士儒生面对秦二世胡亥的问话时，纯从以往的经验出发，老实应对，而不是通权达变，结果有许多人就丢官罢职下了狱。

御前会议的对话是这样的——

胡亥先生问："从楚地征发守边的士兵已经攻入陈郡，你们认为应该如何处置？"

博士们回答："做臣民的不能擅自兴师动众，否则就是造反，这是死罪，罪不可赦。希望陛下立刻发兵镇压。"

胡亥先生被激怒了，勃然作色。

这个时候，官场老油条叔孙通就有用武之地了。也许其他博士争相发言时他正冷眼旁观，察言观色呢。现在，他便对胡亥进行攻心战和心理按摩：

"各位说的都不对。现在天下合为一家，毁郡县城，销毁了他们的武器，告示天下人用不着这些东西了。况且英明的君主在上，严肃的法令在下，使人人奉职，四面八方臣服，怎么能有敢造反的人呢！这也不过是一小撮鼠窃狗盗罢了，何足挂齿。各郡的治安官吏很快就会捕获他们，不必忧虑。"

胡亥先生高兴地说："好啊。"

然后又一一问诸生，诸生或言反，或言盗。于是胡亥先生下令把诸生中言反者下狱，言盗者皆免职。却赏赐叔孙通帛二十匹，衣一袭，并拜为博士。

你说叔孙通先生的马屁艺术高也不高，忽悠的技术水平绝也不绝？

然而更绝的是叔孙通先生对时局的精确判断。

叔孙通出宫，回到住所，那些儒生都指责他："你怎么那么溜须拍马呢？"叔孙通说："你们有所不知，我几乎逃不脱虎口啊！"

后来，叔孙通果然逃亡而去，先投奔项梁，后投奔怀王。再后来又投奔项羽，最后叔孙通降汉王刘邦。

叔孙通本来是穿着儒服的，刘邦很讨厌这样的装扮，于是叔孙通改变服装，穿短衣，刘邦看着高兴。

连服饰都要讨老板的欢心，叔孙通确实很懂得人际心理学，很能换位思考，虽然这样做会磨灭独立思想和独立人格，但就是在专

制官场上吃得开。

这种依附型人格发展到清帝国末年，就更加恶心。在吴趼人的《糊涂世界》中，一位官场老油条教新入道的"雏鸟"时，就放大了叔孙通的心法。那真是一场惊心动魄的官场装儿子、装孙子的秘密兵法：

> 我记得小时候听见人家念《礼记》有"父母所爱亦爱之，所敬亦敬之"这样两句，我就是窃取的这个法子。我们在外边做官，就如同做儿子一样。只要父母欢喜，别的就不问了。况且，得罪了父母，亦只平常，等到父母年老归西，那份家资总是我的，只有上司，却万万不可得罪，得罪了，重则参革，轻则停委，真要叫你求生不得，求死不能，那才苦呢！所以，人家说，如能以伺候上司的法子伺候父母，便是真正孝子。

> 再次，就要看上司的脾气，有古板的，有里外一般方正的，有内方外圆的，有口不应心的，总要去试探出来。

> 刚才说是走上司的心经，这句话还不曾讲完。譬如，上司爱华丽的，我们的衣服千万不可古董；欢喜古董的，则千万不可华丽。欢喜年轻的固好，诸位尚都不老。要是欢喜有胡子的，却要早早地留须。至于说起话来，上司说的话，总而言之不得错的，千万不可顶撞。随机应变，迎合主意，久而久之，习惯成自然，便自然迎刃而解了。

叔孙通靠着讨好刘邦，巩固了他在朝廷的地位，而且帮助刘邦制订了一套礼仪——你想这类货色能制订出什么好东西——靠着这些有助于巩固皇权的伎俩升官发财。

当刘邦享受着朝臣们卑琐屈辱的膜拜后，擦擦油嘴，撮着牙花子，志得意满地说："今天我才真正体会到当皇帝的尊严和快感啊！"

奴化礼仪的制作者和发明者叔孙通先生，很快被提升为太常，还获得了五百斤黄金的赏赐。这个金点子就是值钱，折合现在的货币该是多少?!

官场龟缩术到清帝国时蔚为大观

你可以说，官场龟缩术源远流长。你可以研究老子、庄子的哲学与龟缩术的关系，你可以从苏东坡的诗歌中得出一些教训："人皆生子望聪明，我被聪明误一生；唯愿吾儿愚且鲁，无灾无难到公卿。"但是，把官场龟缩术上升到人生艺术的层面的，还要算清帝国的官僚和诗人郑板桥。

郑板桥以其"难得糊涂"的人生哲学，为官场龟缩术提供了思想指导："聪明难，糊涂尤难，由聪明而转入糊涂更难。放一着，退一步，当下安心，非图后来福报也。"

这是一个奴性深重的年代必然发展出的生存哲学，因为不如此，就无法躲过专制恐怖，躲过重重灾祸。

郑板桥在其家书中描写了底层小官吏的苦楚："自别朱门，迭更寒奥，风尘俗吏，屡为米折腰，劳劳山左，究有何补于国计民生。可怜哉，俗吏之俗也。"（郑板桥《答紫琼崖道人》）

这倒与袁宏道的做官苦状如出一辙："弟作令备极丑态，不可名状。大约遇上官则奴，候过客则妓，治钱谷则仓老人，谕百姓则保山婆。一日之间，百暖百寒，乍阴乍阳，人间恶趣，令一身尝尽矣。苦哉，毒哉！"（袁宏道《与丘长孺书》）

像这类良知未泯的士大夫官僚，看出了人人趋之若鹜的官场的

苦楚与恶趣，官不如奴，官不如妓——从某种意义来说是这样的。

其实正如好理论家未必是好实践家，郑板桥先生虽以"难得糊涂"四字高度概括出官场龟缩术的精华，自己的性格却并不符合龟缩术的要求——

燮（即郑板桥）自呱呱入世时，天公似即为我排定位置，注定命运，以故赋性爽直，骨体不媚，好酒谩骂，深中膏肓。因此早得狂名，招人憎怨。兼之拙于酬应，不会逢迎，冷气何多，笑颜太少，凡斯人不合我眼，不恰我情者，终席不与交一语，此皆宦途之所不宜，而我乃一一犯之，欲安其位而升其秩，不亦难乎？每当静夜长思：境之顺逆，官之利钝，头上天公，早自安排……解组以来，如释重负，砚田所入，尚足自给，青山绿水，畅我襟怀……

（郑板桥《与图牧山书》）

难得糊涂

看看郑板桥先生的这段自白，除了喝酒的水平是个官场的长处外，其余性格，统统是官场上忌讳的，欲靠升官而发财，可以吗？可能吗？

清帝国统治下，官场的奴性极甚，如果说汉代、唐代、宋代、明代还出现了许多诤臣，涌现了许多著名的批评性的奏折，那到了清帝国时就几乎寥寥无几，仅孙嘉淦的《三习一弊疏》有点直言的味道，但考之漫长的古代历史，仍然是老调重弹，胆气可佩，观点老旧。就这样，孙嘉淦还几乎被皇帝搞个半死，而当"假冒孙嘉淦奏疏案"的文字大狱兴起后，孙嘉淦更是噤若寒蝉。

一方面，谁奴技高超、马屁圆熟、会揣摩上意，就能得到巨大的物质利益；另一方面，特立独行、正直的人经常遭到迫害，清帝国的官场演变出极为变态的磕头文化。那些军机大臣，那些琉璃蛋子，那些超级滑头，那些谥号为文正的元老（如曹振镛、曾国藩），都深谙官场龟缩大法，都教育官场菜鸟们："多磕头，少说话。"

这样的帝国，还能有什么前途；这样的官僚，还能有什么尊严！

清帝国的一位诗人曾经作过几首《一剪梅》，嘲讽这些深谙官场龟缩术的大师——

其一，仕途钻刺要精工，京信常通，炭敬常丰；莫谈时事逞英雄，一味圆融，一味谦恭。

其二，人言汹汹任从他，其亦有功，其说精心；刁殷人事要朦胧，驳也无庸，议也无庸。

其三，八方无事岁年丰，国运方隆，官运方通；大家赞襄要和衷，好也弥缝，歹也弥缝。

其四，无灾无难到三公，妻受荣封，子荫郎中；流芳身后更无穷，不谥文忠，也谥文恭。

帝国官僚在这种浑浑噩噩中倒也逍遥快活，因为武力和欺骗，因为盘剥和掠夺；食利阶层也因为有了民血，可以继续他们的官场龟缩术。在一盘散沙的奴隶们前面，他们是凶残的饿狼；而在更高级的官员和皇帝面前，他们又像绵羊一样温顺听话。

清人有首打油诗，活脱脱地描写了征服者阶层和食利阶层的嘴

脸，以及他们吃喝玩乐、嫖妓和逛胡同的爱好——

　　六街如砥电灯红，彻夜轮蹄西复东；天乐听完听庆乐，

惠丰吃完吃同丰。街头尽是郎员主，谈助无非白发中。除

却早衙迟画到，闲来只是逛胡同。

这群窝囊废，这群官场龟缩术的超级玩家，这些凶残的压迫者
和掠夺者，除了吃、喝、混日子、逛胡同，除了在皇权专制下匍匐，
还能干什么呢？还会干点什么呢？！

名士与狂徒

在圈子政治的祭坛上

——飞将军李广家族的失败

战士军前半死生，美人帐下犹歌舞。
君不见沙场征战苦，至今犹忆李将军。
　　　　——高适《燕歌行》
卫青不败由天幸，李广无功缘数奇。
　　　　——王维《老将行》

在李广防御、进击匈奴人的许多年后，李广曾经探索为何自己的政治生涯不能发迹。

当时，与皇帝有亲戚关系的大将军卫青和他的儿子们都封侯了，才能处于中下等的李广的堂弟李蔡也封列侯，位列三公。更令人心理失衡的是，连其属下的军官士兵，也有人得到侯爵之封。

李广

李广曾经与星相家王朔私下闲谈："从汉朝攻打匈奴以来，我没有一次不参加战斗，但是各部校尉以下的军官，才能平常的人，却因攻打匈奴有军功而封侯。我李广不比别人差，但没有一点功劳用来得到封地，这是什么原因？莫非是我的骨相不该封侯？还是我命

中注定如此？"王朔说："将军回忆一下，曾经做过后悔的事吗？"此言大概触发了李广的心痛："我任陇西太守的时候，羌人反叛，我诱骗他们，投降者有八百多人，然后，我就用欺诈的手段把他们在一天内全杀光了。时至今日，我最大的悔恨莫过于此。"星相家赶紧说："能让人受祸的事，没有比杀降更大的了，这也就是将军不能封侯的原因。"

星相家与李广的对话，我们姑且看做是古代的一种人道主义精神的闪现；然而若从职场和官场的升迁图分析，星相家给出的病因诊断书完全是瞎掰。大汉帝国哪条军法，或者朝廷的哪条规则、潜规则，规定了不能杀降？相反，倒是军功要按割下的敌人首级多寡而定——我推想，那时说不定已经有官兵发明割自己百姓的首级来冒领军功的手段，至少文献记载明朝是有的。

李广在战场上没有功劳也有苦劳，没有苦劳也有疲劳，为何不能封侯？

千言万语归一条：封侯（晋级加薪）的权力掌控在皇帝老板的手中，而李广并不是皇帝老板权力核心圈中的成员，甚至连外围都算不上，最多是一个帝国的军事打工仔而已，而打工仔的业绩又恰恰需要皇帝老板的认定。

甚至到了李广老年，历尽坎坷重新归队，出征匈奴时，皇帝还暗中警告大将军卫青：李广命不好，不要让他与单于对阵，恐不能实现俘获单于的愿望。

你想：一个人就算没有业绩或业绩不佳，那也可以给他努力的机会，而老板却认定他命不好，那他岂不是黑云笼罩，前程哪有半点亮光？还想升职，别想了！

这就是皇帝老板刘彻的绩效考核思想。这种考核体系既暗布任人唯亲的迷局，又充满了急功近利——能不能晋级加薪，就看你击杀匈奴人的战功，战功又往往落实在敌人的人头多少和人头的品级上。偏偏也怪，飞将军李广在几次伏击战和出击战中，命运确实奇差。

马邑军事行动是帝国策划的一次伏击战。帝国以马邑城作为诱饵引诱单于，李广与其他人一起在山谷中设伏，但关键时刻单于发现汉军的计谋逃脱了，汉军将领都没能成功。最冤的是，出此奇计的将军王恢率军出代郡本想攻击匈奴辎重，但听说单于大军已经退回，兵士多，没敢攻击。朝廷认为：出谋划策的人，却不将计策落到实处，明显是玩忽职守，就拿下了王恢。

四年后，李广出雁门关，兵败被俘，后来又逃了回来，而同时从其他地方出兵的将军，只有卫青捕杀了匈奴七百人。公孙贺一无所获，公孙敖损失七千兵马。业绩最差的还要数李广。帝国于是把李广和公孙敖投入监狱，如在他们交了赎金，获得释放，成了平民。

公元前123年，李广又受命为后将军，随大将军卫青出征匈奴，许多将领因斩杀敌人的首级符合定额，完成了绩效考核，以战功而封侯，但李广的军队却没有成功。

两年后，李广以郎中令的官职率四千骑兵从右北平出塞，张骞率一万骑兵与李广一道出征，兵分两路行军几百里。匈奴左贤王率四万骑兵包围了李广。李广的士兵很害怕，李广派儿子李敢骑马往匈奴军中奔驰。李敢独率几十名骑兵冲入敌阵又突围出来，回来报告李广："匈奴很容易对付！"这才遏制住士兵们的恐惧情绪。李广面对数倍于自己的敌军，坚持战斗，直到援军来临，匈奴才算解围退去。但这次战斗李广几乎全军覆灭，再一次绩效不过关，结果，功过相抵，没有封赏。

最后一次是在几年后，李广再次作为前将军随大将军卫青出征。大将军卫青捉到敌兵，知道了单于的驻地，就自带精兵追逐单于，而命令李广和右将军队伍合并，从东路出击。东路迂回绕远，又缺乏水草，势必不能并队前进。李广向大将军表示愿做前锋，先与单于决战。卫青当然不同意，这也是他故意要调开李广。卫青要李广按他文书的命令办。李广从东路出发，没有向导，果然时有迷路，延误了合围的时间，结果单于逃跑了。

此战之后清算问罪的时刻来临，卫青派人来提李广幕下的人员受审对质。李广说："校尉们无罪，是我迷了路，我现在亲自到大将军幕府中受审对质。"

到了大将军府，李广对他的部下："我从少年时起与匈奴作战七十余次，如今有幸随大将军出征同单于的军队作战，可大将军又调我的部队走迂回绕远的路，偏偏迷路，这不是天意吗？况且我已经六十多岁了，不能再受那些刀笔吏的侮辱。"于是拔刀自刎。太史公司马迁记录说：李广军中的将士都为之恸哭。百姓听到这个消息，不管认识李广与否，不论老少都为之落泪。

这是两千多年前一次圈子政治孕育的悲剧作品。这个圈子的核心是刘彻，围绕核心的是卫青、霍去病等人，李广不属于圈内人，从个性上来说又不能与他们相容（这点我将在

卫青

下面详细分析），不仅不能晋级加薪，反而被逼入绝境。李将军是热血男儿，用一死来抗议了这个王朝的不义、不公！我甚至有点怀疑，如果李将军不自杀，而是向上申诉鸣冤，会不会也被抓起来，再加一个破坏朝廷稳定的罪名！

司马迁在记录这些历史的时候，客观报道了李将军的个性、业绩与失败。

李将军的个性和为人：老实厚道得像乡下人，不善言谈。才气无双，能射杀猛兽。文帝也说："可惜啊，你没遇到时机，如果你赶上高祖时代，封个万户侯不在话下。"骄傲，仗着有本领屡屡和敌人正面作战。爱护士兵，为官清廉，得到赏赐就分给部下，饮食与士兵在一起。为官四十年，家无余财。

与之正相反，霍去病不知体恤士兵，军中还有吃不饱饭的士兵，而骠骑将军霍去病的辎重车上却丢弃了很多剩下的米和肉，在塞外打仗时，士兵都饿得站不起来了，而霍去病还在踢球作乐。

依我看来，李广将军的缺点是比起韩信来，心胸狭窄了些。韩信能受胯下之辱而李将军绝对不能；韩信能不计旧仇任命侮辱他的人为小官，李将军却在得势后就把当年侮辱他的霸陵尉给杀了——从这个故事中也能评判飞将军李广的胸怀。这是他不能在军队中发迹的内在原因之一，当然运气奇坏也是重要因素。

司马迁进一步指出：各位老将统领的兵马以及装备的兵器，比不上骠骑将军。这就暗示了在资源的分配上就已经存在圈内与圈外之别，存在不公。在这种情况下，要求绩效考核的公正，可乎?!

况且，李将军在出任许多郡的太守时都奋力与匈奴作战，尤其是在驻守右北平时，匈奴听说后称他为飞将军，躲避他好几年，不敢入侵右北平。李广将军没有攻击上的业绩，有没有防守上的业绩

呢？朝廷的眼睛都瞎了？

不管怎么说，李广将军的一生充满了悲剧色彩。但是他家族的悲剧却没有到此结束。

李广的儿子，勇敢的李敢也曾经在沙场上为国浴血奋战，也曾经奋力夺得匈奴左贤王的军旗和战鼓，斩获了许多敌人的首级，而他的命运又怎么样呢？

李敢怨恨大将军卫青对不起父亲李广，就打伤了大将军。大将军隐忍没有张扬。不久，恶毒阴狠的报复来临了。当李敢随着皇帝到甘泉宫打猎的时候，骠骑将军霍去病（与卫青是亲戚），就把李敢射死了。

而这时，你们猜猜，大汉帝国的刘彻老板怎么解释这件事的——皇上就隐瞒真相，说李敢是被鹿撞死的。

秦皇汉武，唐宗宋祖——这些大人物在道德的天堂审判中一点也不会脸红。汉武刘彻就是一个赤裸裸的说谎者，为了罪恶的杀人而遮掩。

李广家族的悲剧并没有因李敢而完结。人一倒霉喝凉水也塞牙，家族要是走下坡路，那就得连滚带爬。李广的孙子李陵也是一代名将，单于以八万大军包围李陵的五千步兵射手，李陵杀伤的敌人也有一万多，边战边退，粮尽而援兵不到，终致李陵投降匈奴。汉朝廷杀了李陵的全家，李家声名从此败落，陇西一带曾经依附于李家门下的宾客，都以此为耻。

在古代那个残酷的生存竞争环境中，人们不可能有人道主义的观念，认为战俘也是为国出过力的——也许严酷的纪律是遏制、恐吓和稳定军队的手段，一如罗马军队也有"十杀一"的残酷法令一样。刘彻为了开拓西部的疆土，还曾经下令关闭玉门关，让前方的将士只能向前，回来者杀。

但是帝国如何对待它的臣民，是这个帝国能不能存在道义的首要因素。汉帝国如此对待李广，难怪不仅激起了当时的司马迁的同情，更激起了后来唐代诗人的同情！

在评述飞将军李广家族的失败时，也让我为战争中死去的百姓叹息，还是唐代大诗人李颀写得好："胡雁哀鸣夜夜飞，胡儿眼泪双双落。闻道玉门犹被遮，应将性命逐轻车。年年战骨埋荒外，空见葡萄入汉家！"

欲挽陈汤洗媚骨

犯我强汉者，虽远必诛。

——甘延寿、陈汤上皇帝书

从一个人的爱好，往往能大致判断出这个人的个性；而从一个国家有些什么样个性的人，又往往能大致判断出这个国家的个性。

这个人的爱好是每当经过山川城镇，就喜欢登高望远。

年轻的时候，他很喜欢读书，知识广博，很会写文章，如果他生在 21 世纪网络时代，肯定也是天才"板砖"手，无论是打击能力还是抗打击能力，肯定都是超一流的。

这个人家里很穷，多次向别人乞讨借贷，不为乡邻称道。这是可以理解的，如果一个人老向别人借钱，一来难免被势利的人们瞧不起，二来捂紧钱囊是一般人本能的反应。

但是当他西行至长安，求得了一个小官职，并且结识了富平侯张勃之后，命运就发生了跌宕沉浮。那一年，公元前 47 年，皇帝诏令列侯举荐人才，张勃推荐了他——陈汤。

就在陈汤等待升官的时候，不巧父亲去世，他没有回家奔丧，这就被人检举揭发，说他不守道德规范。张勃先生也因此被扣了薪酬——削去食邑 200 户。张勃不久死去，而陈汤则被关进了监狱。

也许那时还没能从技术手段上建立档案，没能从技术手段上帮助国家机器完成对人的全面掌控；也许那时帝国的胸怀没有堕落为狭小，帝国的自信没有堕落为自卑。对于陈汤这样一个有前科的人，公元前36年，帝国居然任命他为西域副校尉，作为甘延寿的副手，与甘延寿一起出使西域。当然，因为出使西域要冒极大的风险，帝国内部，也只有冒险之徒们敢于承担。

现在陈汤在西域可以经常看到"大漠孤烟直，长河落日圆"的壮观景色了。多少年以后，清国的中兴名臣曾国藩在评价三种大境界时也说：第一，雨后初晴，登高山望旷野；第二，独坐高楼，倚明窗眺大江；第三，英雄侠士，衣貂裘从远来。

陈汤先生岂非胸中孕育着大境界？

甘延寿、陈汤屯兵西域，准备向匈奴人下手。

陈汤分析形势认为：匈奴人剽悍，喜欢打仗攻杀，多次取胜，如果让他们长久发展，一定会成为西域的祸害。但是他们没有坚固的城池和强弩防守，如果出动屯田官兵，命令乌孙军队跟随，直指郅支单于的住地，那么，他们逃亡无处可逃，防守又不能自保，千年人功可一朝而成。

甘延寿也这么认为，但想向朝廷报告，请求朝廷批准。陈汤说："如果皇上与公卿大臣们一议，事情一定不会被批准，大策略不是一般人能理解的。"甘延寿犹豫不听。时值甘延寿久病，陈汤便独自假托天子命令，出动各国军队和屯田官兵，甘延寿得知，大吃一惊，要阻止他，陈汤大怒，拔剑呵斥甘延寿说："大部队已经集合了，你小子想坏大家的事吗?!"甘延寿只得听他的，指挥军队行兵布阵，一击而成，摘取单于首级。

甘延寿、陈汤在上皇帝书中说："臣甘延寿、陈汤率正义之师，攻陷敌阵，消灭敌人，斩郅支与名王以下首级，应该将首级悬挂在京城外国人居住的槁街，向远方示威。犯我强汉，虽远必诛。"

　　这是多么气壮山河、掷地有声的豪言！这不是愤青们非理性的语言，也不是老滑的外交辞令！这是一个帝国在民气还没有衰亡、血性还没有磨灭时的一次豪迈宣言，这是两千年前的一次雄起！

　　今天，我要为陈汤招魂，就是想借此机会，洗洗这普遍萎靡的人们的媚骨——他们对权力、对大众、对财富、对名人的媚骨。我当然不怕网络上的"板砖"如雨——因为陈汤在两千年前的击打能力和抗击打能力，击打精神和抗击打精神，并没有在沙漠中死去！

中国 "罗文" 的结局

白骨新交战，云台旧拓边。
乘槎断消息，无处觅张骞。
——杜甫《有感五首》

公元前 140 年左右，有一支百余人的队伍在大汉帝国郎官张骞的带领下，出使西域。这次出使的目的是联合西域的月氏国，共同打击汉帝国最强大的敌人匈奴。虽然历史学家司马迁先生并没有刻意描写西行的艰难，但是张骞和他的使团走上的是一条无人走过的道路，其中暗藏的凶险，自不必说。

十三年的光阴过去了，离开时有百余人的队伍，回来的时候只剩下张骞和堂邑父两人。

2000 年前后，张骞曾经服务过的祖国和土地上，热衷从西方著作中发掘市场卖点的人们，掘到了一个富矿，那就是距今有百来年的美国人哈伯德的著作《致加西亚的信》。这本书讲述了一个故事：美国和西班牙战争期间，美国总统麦金利为了联系在古巴丛林中的反抗西班牙的游击队，需要有个人送一封信给游击队的首领加西亚——这意思当然也是联结盟军，从多方打击西班牙。但是没有人知道游击队的首领加西亚在古巴丛林的什么地方。有人向总统麦金利推荐了一个叫罗文的人。罗文接到任务后，没有任何废话，没有任何讨价还价，把信带给了加西亚。书中以此来教导年轻人要敬业，

对待老板、上级、领导布置的任务不要废话，千方百计出色地完成任务就是。

这种"西方夜谭"很对时下国内老板、领导的胃口，用书中的内容来开导那些有点跟洋风的民众，也算高招之一。许多职业经理人以罗文自诩，以罗文自勉。于是，图书商人狠赚了一笔。据业内知情的朋友透露：就连搭《致加西亚的信》顺风车的图书，也跟着赚了一把。

张骞出使西域壁画

这是 21 世纪开始时中国图书市场上一段有趣的小插曲。其实《致加西亚的信》的单篇小文早在 20 世纪 90 年代就已经被翻译到国内，在卡耐基《人性的优点》一书的附录中即有此文。但是这篇小文有一个前奏，我不知道读者注意到了没有——在日俄战争期间，俄军在许多日军士兵身上发现了这篇文章。

俄国与日本在可怜的中国的土地上厮杀，政治和军事体制落后并且腐败专制的俄国，不是新兴的残暴帝国日本的对手，战争的结果以俄国的惨败告终。而日本教育其士兵充当扩张战争的炮灰、教育其士兵成为没有独立思考能力的战争零件，给每个士兵发《致加西亚的信》也是其方式之一。

中华文化固然需要寻求新的动力，中华民族固然需要许许多多新的思想营养，但是《致加西亚的信》居然如此有市场，还是出乎我的意料。

以一个文化学者的眼光看来，《致加西亚的信》的畅销和许多职业经理人以罗文自诩的行为，如果放到中华文化时间和空间宏阔的背景中审视，就显得十分小儿科，十分滑稽可笑。因为，我们的祖先中有比罗文艰苦卓绝得多、事业宏伟得多的信使——张骞。

为了使这篇文章的标题能吸引吃肯德基、麦当劳、比萨饼的青年人，我暂且把张骞称为中国的"罗文"；而实际上，我不知道把罗文称为"美国的张骞"，罗文先生配不配，能否当得起这份荣誉？因为张骞不仅是一位历经十三年磨难、忠心报国的信使，还是一位在世界历史上都有一席之地的地理探险家——是他打通了西域之路，他还是一位英勇作战的军官……其勇气、信念、智慧，令两千余年后的汉族后人，令我们这些思想苍白、灵魂乏力、信仰迷惘的年轻人敬仰不已。

历史学家司马迁在记录汉代历史时，表现出了勇气、智慧和毅力，但是，他对张骞在拓展民族生存空间方面的功绩，无疑有着认识上的局限。张骞的事迹只出现在了《大宛列传》中。当然，我们也要感谢司马迁的笔触，使我们对张骞的命运有了更深刻的认识。历史学家的《大宛列传》，在我看来，也是一篇上好的新闻作品。开篇就揭示了消息源的权威性——"大宛国的情况是张骞叙述的。"

当时汉族帝国面临的生存竞争状态是：游牧民族匈奴的部队与汉帝国的军队处于拉锯战的状态，双方互有斩获。

张骞出使西域带回的信息是帝国十分珍贵的情报，但这些还不足以使皇帝封张骞为侯。公元前 123 年，张骞以校尉的身份跟随大将军出征打击匈奴，因为知道水草的位置，军队供给因此不缺乏，

于是天子封他为博望侯。
在这里汉家天子表现出非
常功利现实的一面。张骞
不是因为出任罗文式的信
使角色被封侯的；而是因
为他在军中表现出一个地
理学家、情报参谋的作用

匈奴鹰形金冠饰

后被封侯的。也就是说，张骞起到一份活的军事地图的作用。可想
而知，在那个没有指南针，也缺乏作战图的年代，这些宝贵的地理
知识对汉家军队打击匈奴的作用有多大。

　　但是张骞先生的好运没持续多长时间。第二年，张骞当卫尉，
与李将军一起从右北平出发攻击匈奴。匈奴包围了李将军的部队，
军士失踪、逃亡的很多。张骞因为误期当斩，后赎为平民。

　　这是张骞在风光后遭受的一次挫败。老经验还遇上了新问题，
一个出使西域十三年的老战士怎么会误期呢？我们可以推测：在没
有确定的地图、没有指南针甚至向导也不可靠、军事目的地也不可
靠的情况下，即使再有经验的探险家也难免延误时机。

　　在汉帝国与匈奴争夺生存空间的严峻岁月里，汉家的法律有其
刚毅有效的一面。即使是张骞这样一个有功之臣，也得按律当斩。
我个人推测：一来张骞先生因为出使西域和封侯，得到的工资、奖
金很多，使他成了富人，足以赎回自己的性命；二来，也许张骞先
生生财有道，理财有方，使他在遭遇危机的时候得以保全性命。

　　与张骞先生相对的是：李广先生也两次遭遇刑罚，第一次也以
金钱赎命，第二次却说自己老了，不愿与年轻的刀笔吏对质，不愿
受辱，自杀了。一来以死表明自己军人的勇气，二来以死抗议不公。

这其中是否还有财务破产，无法再赎命的成分在内？

当然，比张骞、李广更惨的是历史学家司马迁本人，"家贫无以自赎"，也就是说财务上遇到困难，没办法赎出自己，只好向不公、不义但是司法森严的世界，贡献了男性宝贵的器官和尊严。

几年后，张骞先生再次时来运转。汉帝国的君主因为还关心西域各国的事情，就不断地询问张骞。于是张骞得到再次出使的机会，返回后列位九卿，继续留在官员的行列。又过了一年，这位中国的"罗文"死去。但司马迁的历史著作中没有提及：帝国的君王和臣民对张骞的死有怎样的哀悼和悲痛。

与之相对的是：李广因为拔刀自刎，其军中将士都为之痛哭；而百姓听说了这件事，不论是否认识李广，都为他流泪，可见当时的舆情——民众虽然没有主见，虽然对军中内幕并不知情，但民心民意，都为帝国失去一位勇士，失去一位老实厚道的猛将而痛心。

然而，如果我们抛开司马迁与李家的关系，尤其是因为帮李陵说话而获罪的背景因素，单纯考察李广将军的战绩与张骞先生的功劳，我们丝毫也得不出张骞的功绩逊于李广的结论。只是，"将军百战身名裂"，而张骞先生的勇气，使他完成了不可能完成的任务；他的财务能力，使他逃过了一死；他没有卷入到帝国核心小圈子的矛盾中，他的运气总体来说还是不错——使一个探险家的死，不是发生在路上，不是发生在牢狱中，而是发生在家里。

这就是中国"罗文"的结局。

如果我们不留心发现历史，可能就只会沉浸在张骞打通西域的辉煌中。现在，我们通过张骞先生从顶峰也曾坠落谷底的故事，可以尝试着体会：张骞不仅在出使的途中有智慧，在帝国内部生存也很有智慧——是他的财务能力，而不是军事才能挽救了他自己。

张骞通西域图

在我一次次探索中国历史的过程中，我尤其希望读到一些从不同角度看问题的历史著作，比如帝国的财务史、帝国的法律史、帝国的科技史、帝国的人权史，等等。但是很遗憾，基本上，古代中国人叙述历史、阅读历史的方式，还停留在帝国政治及权力更替史的层面，因此确实有读朝代政治公告和帝王家谱的味道。历史中关于人的命运、金钱的去向、帝国财务报表、税务报表、现金流走势、帝国资产负债表、损益表，以及关于帝国名人的精神分析，出版得并不多。我很希望有更多黄仁宇式的历史学高手，来为我们条分缕析。

我们从中国"罗文"的结局中，是否也能读出点文化密码：帝国英雄的命运无法掌控在自己手中，只能在皇权下匍匐；帝国对待自己的英雄的方式，在一定程度上影响着帝国的命运。

张骞先生是幸运的，他没有被雄才大略、冷酷无情的皇帝抛弃，不仅死于荣华，在家乡立有墓碑，后世人还对其推崇备至。张骞先生又有着某种程度的不幸，当时的历史学家没有给他以足够的版面和位置；而在21世纪的头几年，肯定有少数中国人不知道：自己国家的历史上，还有这样比罗文要"罗文"得多的勇士和信念坚守者，以至于他们发现了一个《致加西亚的信》，居然就像发现了新大陆一样。

诸葛亮的劝进雄文

幸福是自由的果实，
而自由是勇气的果实。
——伯里克利

公元 220 年，帝国争霸战即将告一段落。这一年，曹丕称帝，蜀国闻风，也蠢蠢欲动。刘豹、黄权一干人等深知上意，开始造舆论，向刘备上书，希望刘备能够"应天时顺民心"，赶紧登临皇位以安天下。

"你要打狗，就不愁找不到打狗棍。"（莎士比亚《亨利六世》）

你大权在握，你的意思就不用自己说出口，自有马屁精们揣摩上意，替你说出来。

军师诸葛亮坐不住了。马屁是一种旋涡，不管你是何等特立独行的高人，当一百个，一千个，一万个乃至更多的人马屁洪钟撞得震天响时，你不是被吓死就是要发疯，没有发疯，也会被逼着跳崖或被阉割；马屁也是一种时尚，就像而今演唱会上追星族挥舞的那些电光棒棒一样，或者就像一场不痛不痒的狗屁演讲一样，当众人癫狂起舞的时候，你不是被集体催眠，就一定会被集体蔑视。

诸葛亮是政治人物，不是特立独行的思想家。尽管他相对于关羽、张飞，是刘备核心圈的圈外人，但是相对于沉默的大多数、帝国争雄内战中虫蚁般生存的草民，诸葛亮又是离核心圈最近的圈内人。

诸葛亮

中国知识分子的脆弱性、依附性、媚骨就在于：主子一知遇，奴才就感激得老泪横流。多少明君贤臣，多少英主义仆的故事，多少自由沦丧、个性衰亡、独立尊严被践踏的故事，神话模型和源头在哪里？你不难从刘备和诸葛亮的故事中发现端倪。

当然，诸葛亮是高人，他从隐居时就知道"待价而售"，就深谙"玉在匣中求善价，钗于奁内待时飞"的心法，他也知道要形成良好的品牌效应，以致徐庶充当了他的广告托儿——当刘备说要请诸葛亮出山时，徐庶要刘备三顾茅庐。（等待三顾茅庐的其他诸君，有三种可能性：1. 天荒地老无人识；2. 等来了大灰狼；3. 被请了去做人肉包子的馅儿，或被敲骨吸髓。）

现在，大耳贼刘老板当年那小小的投资，已经得到巨额的回报，到了正式分红的时刻。在呈给刘备的劝进书中，诸葛亮等人说：

曹丕篡位弑君，毁灭汉室，窃夺国家政权。胁迫忠良，残忍无道，天怨人怒。民心思念刘氏重有天下，现在天下无主，全国人心惶惶，无所仰瞻（这倒和曹阿瞒所说的："使天下无孤，正不知几人称王，几人称帝！"如出一辙）。臣民上书前后计八百多，纷纷报告各地祥瑞的征兆，大王是皇室后裔，嫡系庶出百代相传，天地降福，姿容伟岸高大，神武英明，仁德深重，礼贤下士，故而赢得天下归心。（其实也就蜀国一撮人的归心，一撮既得利益者的归心。）理应马上登临皇位，继承祖传伟业，对天下百姓则是幸事。

公元221年农历4月，刘备先生宰杀黑牛献祭，称：汉朝得到天下，万代相传不绝，曹操依仗武力行凶天下，杀害皇后、太子，罪恶滔天，天理难容。曹丕继承其父凶残悖逆，窃篡皇位，君臣认为汉家社稷应该由刘备来修复。刘备自知德行浅薄，惧怯难当大任，征询国民及蕃属意见，都认为：天命不可违，祖业不可废，天下不可一日无主。全国仰慕刘备，刘备岂敢违抗天命？故择吉日，领受皇帝印玺——使天下永远安定。

刘备

　　这一番诸葛亮的马屁劝进和刘备惺惺作态的半推半就，正如同《理查三世》中的劝进和登基一般。千年之后，大头贼袁世凯也深知舆论的重要，组建乞丐请愿团、妓女请愿团。"旷世逸才"、超级马屁精杨度等人在制造劝进舆论时，能不参考参考诸葛亮先生的马屁雄文?!

　　诸葛亮的同时代人，无论是吴国的周瑜，还是魏国的司马懿，许多人智谋功业并不在诸葛亮之下，但忠主义仆、明君贤臣的文化造就了诸葛亮的神话，从而也鼓励了"鞠躬尽瘁"式的被榨取的受虐狂倾向，鼓励了牺牲个性、自由、独立、尊严的奴才文化。不要忘了，在我们津津乐道于自己的民族文化如何灿烂之时，我们的政治哲学，我们的权力哲学比起希腊人、罗马人来说，简直就是小儿科。当我们的先人们还在"天下不可一日无主"的思维怪圈中鬼打墙时，希腊哲人、政治家伯里克利早若干年就在提倡"开放的城邦"。他说："幸福是自由的果实，而自由是勇气的果实。"罗马人在公元前就已经是共和国，就知道民选执政官的重要性，更何况布鲁托斯等人对自由的渴望。

　　比起伯里克利，我们的智慧之星、政治家诸葛亮又哪里牛逼得起来？在为一姓王朝的服务上他是高人。侥幸那是一个需要竞争生存、需要人才的时代，侥幸天下没有重新统一，否则他早就"飞鸟尽，良弓藏；狡兔死，走狗烹"了，就像韩信被刘备的祖宗刘邦拿下收拾掉了一样！多国一起生存，就像一个竞争充分的市场，人才的价码一定会随之看涨。江山一统，铁板一块，人才就是唯一老板的案头鱼肉。

　　我们也不要津津乐道于什么演义，内战就是内战，我们的先人没有留下一部像古罗马作家写的《内战史》一样的文字——他们在忙着树王朝典型，立道义标兵；我们的先人无法像莎士比亚那样写出内战中兄弟相残、父子互杀的悲剧——他们的头脑中忠君的糨糊灌得太多，而血管中的人道主义精神又实在太少。

诸葛亮先生，当你在捧着君王的臭脚猛啃的时候，当你在筹划新一轮北伐作战的时候，当你做着江山一统、皇朝专制万年的春秋大梦的时候，你肯定想不到，凌沧洲只想化用一句陆游的诗来评价你的伟业——"臣民泪尽内战里，长望幸福又一年！"（原诗：遗民泪尽胡尘里，南望王师又一年。）

秦桧为何执掌权柄 20 年

君不见李义府辈笑欣欣，笑中有刀潜杀人。
阴阳神变皆可测，不测人间笑是瞋。
——白居易

  1143 年冬天，在岳飞一家的鲜血抛洒于杭州城的第三个年头，江南纷纷扬扬下起了雪，杭州都城的达官显贵更是忘记了战争的苦痛和羞辱，而沉浸在一片对太平盛世的吹嘘与陶醉中。秦桧先生的权势，也随着帮助皇帝实现其战略苟安的意图而渐至顶峰。

  这一年，没有日食，帝国的文献官员就大吹没有日食乃是吉兆。而当彗星时常出现，早有马屁臣僚、舆论走卒上书，安慰帝国最高权柄的执掌者：没有什么值得害怕。秦桧大喜，把这上书的屁精康倬先生特批为京官。

秦桧夫妇跪像

假如在一个恐怖的专制政体下，统治者连天象都不害怕了的话，那么还能害怕什么呢？

虔州的长官薛弼说木头里有文字"天下太平年"，赵构先生就陶醉于这些表面文章之中，下诏交付史馆。皇帝的喜好是专制社会的风向标，粉饰太平的各种举措和表演从此更甚，皇帝为苟安余杭，自此不复巡幸江上，却天天有祥瑞之奏。（见《宋史》）

秦桧权势炙人的时候，赵构先生更是褒奖员工有加，创造了多种奖励员工的方法：

> 1145 年，任命秦桧的儿子秦熺为翰林学士兼侍读。4月，赏赐秦桧府第。6月，赵构亲自光临秦桧府上，秦桧的老婆、孩子、儿孙都受到赏赐。

> 1145 年 10 月，赵构亲自书写"一德格天"的匾额赐给秦桧。

> 1149 年，赵构命令绘制秦桧像，亲自做赞。

我不知道这样的荣耀，赵氏王朝的另一员工岳飞先生是否享受过？至少从岳飞传中没有看到这三条。

秦桧从 1131 年起开始执掌南宋朝廷的权柄，到 1155 年在权势巅峰中死去，历时二十余年。除了中间有几年罢相外，基本上都是在权力要冲，既得到皇帝赵构先生的宠幸，又对南宋朝廷的兴亡肩负着不可推卸的责任。

秦桧在权力旋涡中摸爬滚打二十余年，能长时间屹立不倒，一定有其为官的"过人之处"。分析秦桧何以得势，对理解专制社会的本质，对反击为秦桧翻案的思潮，可能会有所帮助。让我们来看看秦桧先生是如何飞黄腾达的——

1127 年，是宋国家破人亡的第二年，徽、钦二帝已经于上一年闰11月被金人掠去，留在金营。2月，金人就要扶植张邦昌为傀儡皇帝。乱世风云激荡之际，秦桧先生表现出了其胆识和忠诚的一面，为其日后在官场上平步青云埋下了良好的伏笔。

当时，留守王时雍一干屑小号召大家立张邦昌为帝，人们都吓得不敢说话，只有监察御史马伸对大家说："我们身为大宋朝廷的员工，岂能坐视而不吐一辞？大家应该都说话，老板还是赵家人做的好。"当时秦桧为御史台长官，觉得马伸说得有理，就进献了一篇文章，大意是：

桧受国厚恩，甚愧无报。今金人拥重兵，临已拔之城，操生杀之柄，必欲易姓，桧冒死争辩，不只因忠于主上，而且说明两国的利害。赵氏王朝自祖宗以至嗣君，已经有一百七十余年。以前因为奸臣败盟，结怨邻国，谋臣失计，误主丧师，于是生灵被祸，京都失守，主上出郊，求和于军前。两元帅既然答应了该协议，也已公布于中外，而且宋国把国库都取空了，割两河地，恭为臣子，现在要变更以前的协议，我这做人臣的怎么能怕死而不争辩的呢？

宋于中国，号令一统，绵地万里，德泽加于百姓，前古未有。虽兴亡之命在天有数，怎么可以一城的丧失而决定国君的废立？……

张邦昌在上皇时，附会权幸，共为蠹国之政。社稷倾危，生灵涂炭，固非一人所致，亦邦昌为之也。天下人也恨张如仇敌，若付以土地，使主百姓，四方豪杰必共起而诛之，终不足为大金屏障。必立邦昌，则京师之民可服，天下之民不可服；京师之宗子可灭，天下之宗子不可灭。秦桧不顾斧钺之诛，言两朝之利害，愿复嗣君位以安四方，非特大宋蒙福，亦大金万世利也。

秦桧的这一番表白，不仅掷地有声，而且有理有据，可以说这个时候的秦桧，简直不仅是赵氏王朝的忠臣孝子，也是大宋国的"爱国者"。

我认为正是这篇文章奠定了秦桧一生受赵构信赖的基石。还有什么比在赵家危难的时候对其忠贞不渝更宝贵的呢。在赵构看来，秦桧是经受住了时代的考验的。

当秦桧从敌营中归来后，赵构先生说："秦桧朴忠过人，朕得之喜而不寐。不仅知道了二帝、母后消息，又得一佳士也。"

本来宰相范宗尹还要给秦桧一个冷官做，赵构先生出手大方，一给就是一个尚书的职位。

在权力场上君子与小人的较量中，往往小人有着更顽强的生命力。因为君子们的原则性强，正义和良知感也强，而小人们利益至上，能投君王所好，能最大限度地满足君王的利益和心理需求即可。

1138年，肃哲等人到淮安，说先归河南地，而且册封赵构为帝，再议论其他事情。秦桧想要赵构对金人行屈膝之礼，赵构说："朕嗣守太祖、太宗基业，岂可受金人封册。"

在军民群情汹汹，而金国逼迫的两难处境中，给事中楼炤拿出"天下居丧，三年不言"的事来给秦桧出谋划策，于是宋国朝廷定下秦桧以宰相的身份代收国书。

在国君丢脸的尴尬时刻，秦桧能够放下身段，厚着脸皮，帮其完成不可能完成的任务，这样的员工难道不应该得到老板的奖赏吗?!

秦桧的臭名昭著和罪恶还不仅在于以莫须有的罪名陷害了岳飞、岳云和张宪，而是其把持国柄二十余年，培植奸党，陷害了许多忠

良，堵塞了天下的言路，把宋国的言论空间近一步压缩到可怜的地步。

可以这么说，秦桧不仅是奸佞小人，还是言论自由的屠夫与刽子手。

其践踏言论的罪行记录于《宋史》之中，可谓血债累累——

胡舜陟以非笑朝政下狱死，张九成以鼓唱浮言贬，发配流放，都是因为言论得罪了秦桧。

张邵因为和秦桧说金人有归还钦宗及诸王后妃之意，被斥为外祠。

1144 年，贬黄龟年，因为老黄以前曾经评论过秦桧。

闽、浙大水，右武大夫白锷有"燮理乖谬"语，刺配万安军。

太学生张伯麟曾经题壁曰"夫差，尔忘越王杀而父乎"，杖脊刺配吉阳军。

解潜罢官闲居，辛永宗被调到外郡，都因为不附和议，最后，解潜"流放南安死"，永宗"编置肇庆死"。赵鼎、李光被流放到海岛。李光因为在藤州的唱和有讽刺秦桧的地方，为守臣所告发……

宋国天下，奴颜献媚、唱颂歌者得以升发；直言朝政、批评秦桧者被打击迫害。正如孟德斯鸠所说"专制需要恐怖"一样，不仅王权要靠恐怖维持，权臣的垄断地位也要靠恐怖撑门面。

1147 年 8 月，秦桧的政敌赵鼎死于流放地。自从赵鼎被贬谪，门人故吏皆被罗织，甚至听说其死讯而叹息的人也被加罪。秦桧的恐怖专制到了何等地步。

这一年 12 月，马屁文人、进士施锷进献《中兴颂》《行都赋》及《绍兴雅》十篇，奖赏是给"永免文解"的待遇。榜样的力量是无穷的，自此颂咏导谀者更多了。

岳飞

1148 年 11 月，胡铨自新州移贬吉阳军，因为被控写文章诋毁污蔑。

1149 年 12 月，禁私作野史，同时鼓励告密。

1150 年正月，曹泳告李光的儿子李孟坚记录李光所作私史，狱成，因李光流放已久，下诏永不再用；李孟坚被编置到峡州；朝士连坐者八人，皆丢官降职；胡寅流放新州。告密小人曹泳却因此而被立即起用。

1152 年，又兴王庶二子之奇、之苟、叶三省、杨炜、袁敏求四大狱，都是加以讪谤的罪名。

1152 年 2 月，沈长卿因为与芮烨共赋《牡丹诗》，有"宁令汉社稷，变作莽乾坤"之句，为邻人所告，随即被流放到化州，芮烨发配到武冈军。

考察秦桧时代的文字狱和言论罪案，虽然凸显了那个时代的邪恶，但从恐怖效果来看，比起后世的大清朝差多了，虽然因为所谓的讪谤，也掉了几颗人头，流放了一

些官吏，但没有大规模的诛杀，也没有变态的掘坟戮尸。

宋史在评论秦桧时说："秦桧两居相位者，凡十九年，劫制君父，包藏祸心，倡和误国，忘仇灭伦。一时忠臣良将，诛锄略尽。其顽钝无耻者，率为桧用，争以诬陷善类为功。他们诬陷打击忠良，无罪可状，不过曰谤讪，曰指斥，曰怨望，曰立党沽名，甚则曰有无君心。"

在为官个性中，秦桧适合专制社会的生存法则，阴险狡诈，不急不躁。比如，在皇上要决策求和时，一再给皇帝思考的时间，并没有急于付诸实施，而是充分尊重皇帝的想法；同时在与朝臣的辩论中，显示出良好的心理素质，深不可测，从不力辩，争得面红耳赤，这样想必会使皇帝觉得此人风度涵养都到位。专制社会不是正需要这样阉人式的官员吗?!

老秦在巩固权力时深明做强做大、鼓噪造势的道理，小人们成群结队，争相投靠，如孙近、韩肖胄、楼炤、王次翁、范同、万俟卨、程克俊、李文会、杨愿、李若谷、何若、段拂、汪勃、詹大方、余尧弼、巫伋、章夏、宋朴、史才、魏师逊、施钜、郑仲熊之徒，都是闲官小官，都被提拔重用。而一旦重用，都看老秦脸色行事。老秦就这么着结成了一个松散的战略同盟，在官场上呼风唤雨，好人能不倒霉，朝政能不败坏，国家能不衰退吗？

这些人贪腐成性，败坏了社会风气。魏师逊出任考官时，把秦桧的孙子秦埙录为第一，然后恬不知耻地对同僚说："我们可以得到富贵了。"

不义的时代，不义的朝廷。当邪恶已经击败正义和善良时，这艘行进在怒涛中的大宋号船只离沉没就不远了。

张邦昌摸了哪些女人的手

把他们绑在王座上，像拴在示众柱上。

用可耻的王冠为他们制造一个铁项圈。

——雨果

1126 年冬，闰 11 月，北国天寒地冻，中原大地狼烟再起。金兵铁骑攻陷东京汴梁。

多少年后，南宋状元出身的朝廷官员王十朋先生在向皇上陈述恢复国土时说："靖康之祸，自古以来以没有过。"一语揭示了这一历史性时刻的悲剧色彩。尽管宋金在后来的盟约中要歇息兵戈，成为兄弟之国。但此刻金兵南下的侵略性和不义性，昭然若揭。

在国难之中，在历史转折性的时刻，每个人的命运发生急剧变化，每个人的秉性和理念经受着时代的捶打，大潮的洗涤。

"老贼"张邦昌在这个时刻被推到了风口浪尖上。

张邦昌本是宋国官员，任职大司成时，因为训导失职，被降职处理。后来又由洪州一把手，升到礼部侍郎。在这个任上，他很懂得宣传造势的一套，第一个上书皇帝，倡议把崇宁、大观年间以来的吉祥瑞兆制成旗帜、宣传品，这个合理化建议被采纳。看来"老贼"张邦昌在搞攻心战上也不是吃素的。其后钦宗即位，拜少宰，可谓位高誉隆，是朝廷的重臣。

金兵南下，侵犯京师，朝廷议割三镇，派遣康王及张邦昌作为

人质到金国，以求和谈成功。碰上姚平仲夜袭金人营，金国统治者责怪张邦昌，张邦昌对以"非出朝廷意"。

金军攻宋

康王回还，金人又把肃王当人质，朝廷仍命张邦昌为河北路割地使。割地使这个职位设置得屈辱。作为宋国官员，从一开始张邦昌就力主议和，"不意身自为质，及行，乃要钦宗署御批无变割地议，不许；又请以玺书付河北，亦不许。"当时金兵又来侵袭，上书者攻击张邦昌私通敌人，是社稷之贼。

"老贼"的名号在这个时候已经有人提出来了。皇帝于是贬张邦昌为观文殿大学士，罢割地议。这年冬天，金人陷京师。

在1126年的形势中，宋帝国的决策摇摆不定，是战是和，没有战略高度上的决策，一如鸦片战争后清廷的决策一样荒谬。

第二年春天，东京汴梁沦陷之后，"吴开、莫俦自金营持文书来"，命令推举一个不姓赵可以当皇帝的人。"留守孙傅等不奉命，表请立赵氏。金人怒，复遣开、俦促之"，挟持孙傅等召百官杂议。"众莫敢出声，相视久之，计无所出，乃曰：'今日当勉强应命，举在军前者一人。'适尚书员外郎宋齐愈至自外，众问金人意所主，齐

愈书'张邦昌'三字示之，遂定议，以邦昌治国事。孙傅、张叔夜不署状，金人执之置军中。"（脱脱《宋史》）

金国的目的很明显，就是要立一个傀儡和儿皇帝。可能在那个年代，金人有吞并中原的贼胆、贼心而无贼力，他们的战略是先分化，后击破。

"老贼"张邦昌回来主持尚书省，金人劝他称帝，张邦昌开始想推辞，有人说："相公不先死城外，现在想使全城涂炭吗？"张邦昌终于登上帝位，国号大楚。

元史的作者与金人并不站在同一意识形态，对金人的诡计，元史也并不认同。何况传统文化中对帝位的正统非常看重，成者王侯败者贼。所以说：老张是即伪皇帝位，是僭号大楚。正如林语堂先生嘲讽中国人的文字把戏："敌党谓之伪，仇军谓之寇"。这都是城狐社鼠的把戏。

然而在那个国家有难的时代，如果你是宋国臣民，你将作何选择！！

第一种选择，抗争到底，不惜为国战死，为保卫家园流尽最后一滴血。这种人，我们称之为义士，称之为英雄。

第二种，忍辱负重，保全火种，积蓄力量，等待时机，光复家园。这种人，我们称之为智者。虽然缺乏足够的勇气，但生存下来又不失信念，仍不失为好人或普通人。

第三种，卖身投靠，觍颜事敌。出卖同胞，助纣为虐，残害百姓。我们称之为坏人或奸徒。

还有没有第四种人、第五种人？我踌躇半天，难以下笔。

应该是有的，世界是复杂的，林子大了，什么样的鸟没有呢？

"老贼"张邦昌就是这样的鸟——虽然《宋史》把他列入叛臣

传，在我看来，张邦昌只不过是一个落水的人，一个猥琐懦弱的人，一个时代的小丑，一个受害者、受难者，有其难言之隐的人。

你可以说"老贼"张邦昌是叛臣，也可以说"老贼"张邦昌是汉奸，我只能说"老贼"是一脚踩进屎窝四十多天而落下一个千古骂名的人，一个有污垢却又让人同情的人。他不能说是第一、第二种人，但又踏在第三种人边缘。

帝位、权力，中原王朝从来都认为这是禁脔，是有道有德的人才能居之的。虽然你可以说，凭什么帝位就是你赵家的？张家就不能做皇帝？最高权力凭什么就是你赵某的，张某当个皇帝就成汉奸贼人了？

可在那样的时代，百姓不这样想，一个人习惯了某种行为后会演化为思维定势，一群人习惯于某家族的统治后也会认为变动就是谋反。同时，面临国难的关口，国家需要有力的统治者、有威望的权力象征。"老贼"张邦昌无论从哪个方面看都难当此重任，从这个意义上说，我完全同意："老贼"就是乱臣贼子。

"老贼"张邦昌仿佛一个贞节不保的风骚女人，有其可恶的一面，也有其让人同情的一面。我不相信，他不即帝位，金人会杀了他，如果金人杀了老张，老张就是烈士和义士，在国难当头时，是需要烈士的；但我相信，人大都是怕死的，所以，我要说，骂老张的人，应该先想想自己在那个时候是否会视死如归?！

只有有信仰的人、有自由精神和风骨的人才能控制恐惧，才能视死如归。孔曰成仁，孟曰取义。这就是为什么苏武、洪皓赢得了尊敬和热爱，而"老贼"张邦昌被唾弃的原因。

但是历史和时局又不是简单的算术题。张邦昌在要退位的时候曾解释说："所以勉循金人推戴者，欲权宜一时以纾国难也，敢有他乎？""以纾国难"这个解释冠冕堂皇，不如说"我不当汉奸，总有人当；与其让别人当，还不如我来背负骂名，受这罪过"来得幽默。

然而当张邦昌登基时，闹出了百余人的血案：

> 外统制官、宣赞舍人吴革耻屈节异姓，首率内亲事官数百人，皆先杀具妻孥，焚所居，谋举义金水门外。范琼诈与合谋，令悉弃兵仗，乃从后袭杀百余人，捕革并其子皆杀之，又擒斩十余人。（见脱脱《宋史》）

登基这天，狂风大作，阴云密布。百官凄惨沮丧，张邦昌也惊恐变色。

但张邦昌登基后，也保持了一定的分寸。"见百官称'予'，手诏曰'手书'"。只有王时雍每次在张邦昌面前谈事情时，往往称"臣启陛下"，张邦昌斥责他："邦昌以嗣位之初，宣推恩四方，以道阻先赦京城，选郎官为四方密谕使。"（见脱脱《宋史》）

金国的部队退去后，张邦昌降手书赦天下。吕好问等人劝说张邦昌迎回皇后和康王，把帝位让与康王。张邦昌听从了他们的建议。王时雍反对说："骑虎者势不得下，你得考虑好了。"但张邦昌不听，迎回元祐皇后称宋太后，并请元祐皇后垂帘听政，以俟复辟。其后张邦昌又到南京，在康王面前伏地恸哭请死，康王抚慰了他。

然而权力政治是残酷的。康王即位后，李纲就上书讨伐张邦昌，说："张邦昌是朝廷重臣，却趁国破时为自己牟利，在君王受辱时窃位为荣。异姓建邦四十余日，逮金人之既退，方降赦以收恩。这种人应该在闹市中枭首示众，以为乱臣贼子之戒。"宋高宗此时显示出宽容的胸怀，发指示说："邦昌僭逆，理合诛夷，原其初心，出于迫胁，可特与免，责授昭化军节度副使、潭州安置。"

然而帝国的大位不是那么好坐上去的！张邦昌在东京沦陷 40 天的变节，他的软弱为自己的死亡写下了伏笔。这个 1127 年的贝当先生，没有法国人贝当的好运，将迎来他的死期。

不过，他的死竟然带着几分桃色，有了"牡丹花下死"的味道。大度宽容的宋高宗，没有因张邦昌附敌叛逆篡位而处死他，却抓着他

李纲

在大宋宫廷中"生活作风不正"大做文章，进而将其处死。

当初，张邦昌僭居内庭，华国靖恭夫人李氏曾几次以果实献给张邦昌，邦昌也厚答之。一天晚上，张邦昌喝高了，李氏扶着他说："陛下，事已至此，尚何言？"于是用胳膊搭在了张邦昌身上，"掖入福宁殿"。晚上，李氏又把养女陈氏献给老张。等到张邦昌酒醒后回东府，"李氏私送之"。皇上听说后，把李氏关进了牢房，李氏服罪。接着皇上又发下新指示，列举张邦昌罪状，赐死潭州，李氏杖脊后发配车营务。

这个故事以国家的恩怨开始，以个人的恩怨收场。

这是男人与男人的故事，也是两个男人和一个女人的故事。

张邦昌与李氏是情爱、是肉欲，还是权力与姿色的结合，现在，已经搞不清楚了。但在这个故事中女人比男人更重感情，张邦昌已经倒台了，还去送他，还不划清界限，还不寻求自保，这女子也算

得上性情中人，是个奇女子。

历史学家不关心一个叛徒、一个汉奸的爱情故事，而凌沧洲先生，在研究国家和地缘政治走势的时候，更关心人的命运，关心人的爱恨情仇是如何演变的，关心那个送别张邦昌的女人，胜过赵构和张邦昌。

张邦昌，一生的贞操名节，经受不住生死考验，在大敌当前的四十多天里轰然倒下……国破之时，许多人家破人亡，而张邦昌不仅家未破，人不亡，还在皇帝的后院风流了一把；待到国家重新建立起来，许多人的家园有了屏障，就该是他张邦昌家破人亡的时候了。

刘墉的官场附膻术

> 中华帝国靠棒打统治。
> ——孟德斯鸠
> 我的罪恶的戾气已上达于天。
> 我的灵魂上覆盖着远始以来最初的诅咒,
> 杀害兄弟的暴行!
> 假如非分攫取的利益还在手上,
> 就可以悻邀宽恕吗? ——在这贪污的人世,
> 罪恶的镀金的手也许可以把公道推开不顾,
> 暴徒的赃物往往成为枉法的贿赂,
> 可是天上却不是这样的。在那边一切都无可逃避,
> 任何行动都要显现他的真相,
> 我们必须当面为我们的罪恶作证。
> ——莎士比亚《哈姆莱特》

1761 年那个所谓盛世的黑暗春天

1761 年春天,有两个东方帝国的文化人,境遇是冰火两重天。

一位是江苏沛县 57 岁的老监生兼业余诗人阎大镛,他的名字,在他所处的那个时代以及跨越两百余年的今天,没有几个人知道,似乎他注定要被遗忘在中华民族黑暗寒冷的风尘里;另一位是江苏学政兼业余诗人刘墉,他的名字,在他所处的那个时代以及跨越两百余年的今天,轰轰烈烈,经由那些灿若葵花般的手,把这个人的木乃伊光鲜地制作成电视大餐，供清官膜拜族们享用。

一个人的苦难往往是另一些人的财富和升官发财的良机；一个人的血往往是另一些人的美酒、可乐和牛奶。

在1761年那个所谓盛世的黑暗春天，阎大镛的血即将端上刘墉升官发财的餐桌。

这位57岁的老人阎大镛先生，因不满官府摊派粮款、差役，愤而抗粮拒差，并大骂官吏扰民。事后阎大镛先生担心官府报复，离家出逃，但不久即被官府捕获，拿入牢中。

刘墉也参与了该案的审理。与署理两江总督和江苏巡抚等人的着眼点不同的是，刘墉敏锐的鼻子和警惕的触须，长长地伸进了阎大镛先生的灵魂世界：这位不安分守己的老监生有无不法文字？！是否与清帝国最高统治层保持高度一致？是否在抗粮拒差、大骂官吏扰民的背后有强力的思想支撑？是否会污染我帝国高度一致的精神空间？

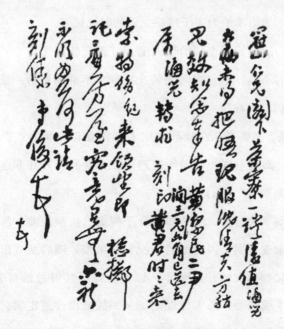

刘墉的书法

高明的警犬与低能的打手的区别就在这里。这也是署理两江总督高晋和江苏巡抚陈宏谋官名、文名不如刘墉的原因之一。

如果真是如刘墉推测的这样，那对帝国一片莺歌燕舞的大好形势岂不是巨大威胁？！

作为帝国的忠臣孝子，刘墉经过调查访问，得知阎大镛平时喜欢做诗，并且从阎大镛家搜出了两张诗稿，还有他祖父和伯父的作品稿本。最令刘墉兴奋的是：阎大镛曾经焚毁过自著之书。刘墉的智商就是高，他推测：肯定有鬼，肯定有悖逆之作，肯定有与我圣朝主旋律不合拍的调调，肯定在舆论导向上有偏离正确方向的地方。否则，阎大镛为什么要焚毁自著之书？

钳口终归明主意，网罗难逃细人谋

帝国的忠臣孝子为主子建功立业的时候到了。

刘墉一边将他调查到的情况通报江苏巡抚陈宏谋，一边细心研读所查获的书稿，遇到有问题的文字和拿不准的事情，就直接送乾隆皇帝"御览钦裁"。

5月底，皇帝老儿在接到告密者和揭发者刘墉的"奏报"和所获书稿后，高度重视，当即给署理两江总督高晋和江苏巡抚陈宏谋发下"最高指示"，谕旨说：

根据刘墉的汇报，沛县知识分子阎大镛抗粮拒差、污蔑我天朝官吏逃跑未遂一案，因为他的情况异常桀骜，随后又查出其两张诗稿，其祖父和伯父的作品稿本，以及他曾经焚毁过的自著之书等。从查获的手稿来看，尚无悖逆之语——如果以悖逆定案，又无确凿证据，这种做法不仅不足以服本犯之心，还会导致群众怀疑我们苟酷。——而该犯如果平时就居心叵测，有形之笔端的证据，即使本人事先销毁，而天理定然不容，断不会令其毫无踪影，不是有一二销灭不尽，就是有遗留他处之稿。这正是本案的关键之处。所以，高晋、陈宏谋应严加审讯、悉心察访。

可以想见，京城的"最高指示"下到江苏，高晋、陈宏谋会如何的心惊肉跳——皇帝是在暗示并指责江苏督抚不敬业，未能恪尽职守啊。

帝国的铁幕政治游戏就是玩得高明。乾隆老小子也确实不是废物点心，恰恰相反，他是比刘墉、高晋、陈宏谋经验更为丰富的侦讯高手，其对百姓内心的洞察要更为深刻。

请注意帝国官场游戏的奥妙：皇帝很善于玩弄权力平衡，刘墉这个级别的官吏有告密权、揭发权，却没有直接执行权；谕旨下达到高晋、陈宏谋处，表面上看是信任他们，实际上是极大的不信任。专制、极权的统治者能信任谁?!

帝国的君主越英明，百姓的隐私就会泄漏得越干净——因为底下的奴才们也越来越不敢怠慢，告密者和揭发者也越来越多。而更令民族灵魂堕落的是，这种告密行为不仅没有从道义上受到谴责，反而成了荣誉——这使凌沧洲先生想起了马基亚维利在《论李维》书中说："罗马皇帝，除了提图斯以外，以继承方式得到帝国的人，通常都是专制者；以推举方式得到帝位的人，皆为明君。在明君统治下，安宁和美德无处不在，而在另一些皇帝的统治下，罗马的暴行无以数计，高贵、财富和古老的荣誉，尤其是德行被看做首恶，告密者领到赏金！"

凌沧洲先生还想起了电影《宾虚》——犹太王子宾虚宁可得罪罗马派驻耶路撒冷的兵团司令，也不愿出卖自己的同胞，充当告密

者和揭发者！

　　看看这部电影吧，再看看我们充斥着大辫子的荧屏，是什么样的理念驱动着那些聪明富有的荧屏人?！

牵出了一个革职的县长

　　京城的指示传到江苏。高晋、陈宏谋立即开始对阎大镛进行审讯，追查阎大镛所烧之书中究竟有什么见不得人的词汇篇章?！

　　既然是皇帝下旨，那当然就要奉旨刑讯逼供。

　　以阎大镛年近60的老迈之躯，又如何经得住英明圣上和他的爪牙们狂风暴雨般的摧残，当然，帝国的机器中一定也少不了攻心战的螺丝钉——总之，在陈宏谋等人的逼供下，阎大镛供称他30多岁时确曾刻印过自己的作品集——《俣俣集》。因为他的母亲24岁后就丧夫守寡守节，而沛县县志却没有把她列入守节名录，所以阎大镛就对沛县县志的记载不公进行了嘲讽，写了《沛县志论》一文收入书中。不久，有人向当时的沛县县令

刘墉

告密揭发，县令李棠随即将阎大镛拘到县衙，追缴并焚毁了书版和已经刻印的书籍。1740年的时候，李棠被革职回山东老家，此事就没扩散开来。从李棠处置阎大镛的手法看，在文网密布的恐怖年代，似乎也算不上激烈残酷，凌沧洲先生推测：要么是李棠的为官之道即是如此，多一事不如少一事；要么就是李棠的政治鉴别力比刘墉低，政治野心和冒险欲望不如刘墉强；还有一个几率很低的可能，就是李棠的良心还没完全死掉。总之，不管是出于什么动机、什么情况，他不温不火地处理了此事，并没有掀起文字狱的血雨腥风。

高晋、陈宏谋似乎向刘墉学到点"细人谋网罗"的做官手法了，这回决不相信阎大镛供出了全部实情。他们推测：《俣俣集》如果只是《沛县志论》有问题，完全可以采取局部阉割的法子，何必要"毁尸灭迹"呢！更让他们怀疑的是：李县长办理此案时，没留下任何卷宗，说不定书中还有其他反动透顶的言论，李棠为了息事宁人，只是将书销毁了事。

我们现在不难明白为什么李棠只是官至县长，而刘墉却能在官场中扶摇直上了。首先，高妙的政治斗争手段和深厚的家学渊源，就是李棠望尘莫及的？其二，专制官场上，一般都是反淘汰法"劣币驱良币"、"好官不到头，好人不长寿"，没有点刘墉的狠、黑、辣、贴（即热脸贴冷臀）和冒险、赌博心理，能上得去？！

人血几升染红顶　马屁千秋有余音

当帝国碾碎机要把一位底层知识分子碾个粉碎的时候，也往往是其国家机器运转得飞快的时候。

高晋、陈宏谋立即通过程序，把赋闲在家的前县令李棠从山东

提来江苏，同时鹰犬们四面出击，搜寻《俣俣集》的民间遗稿，苍天无眼，居然就给他们发现了两本。

两人连夜阅读，发现《俣俣集》中，或讽刺官员，或激愤不平，总之，反动透顶。高晋、陈宏谋立即将调查到的情况报告给乾隆皇帝。

帝国的法律中有的是治罪条款，指示下达，7月，阎大铺被斩首，家人按律发配为奴。

刘墉先生在其官场升发的道路上，写出了漂亮但血淋淋的一笔。

那么，刘墉先生官场上的下一道人血大菜在哪里呢？

1777年4月，江苏东台县举人徐述夔的孙子徐食田兄弟因土地买卖纠纷，被同里蔡嘉树告发收藏其祖父有违禁文字的文集《一柱楼诗集》，又是刘墉先生，及时奏报乾隆，并呈上《一柱楼诗集》。

《一柱楼诗集》究竟有些什么"反清"的言论呢？

传说是，徐述夔自视才高，却科举不第，满腹牢骚。他所建一柱楼挂紫牡丹图，题诗："夺朱非正色，异种也称王。"夏天晒书，见风吹书页，愤然道："清风不识字，何必乱翻书！"喝酒时，见酒杯底儿上有万历年号，便说："复杯又见明天子，且把壶儿搁半边。"晚上听到老鼠啮咬衣服，恨得直骂："毁我衣冠皆鼠辈，捣尔巢穴在明朝。"

《东华录》所载官方记录，徐述夔定"大逆不道之罪"的证据是两句诗："明朝期振翮，一举去清都。"皇帝老儿认为这明显是要颠覆清朝政权嘛。那还有什么话说？

徐述夔案的结果是：徐述夔、徐怀祖父子被枭首示众并"锉碎其尸"；徐食田、徐食书、徐首发、沈成濯、陆琰五人处以斩监候，秋后处决；涉案人江苏布政使陶易在审判过程中死于狱中；扬州知府谢启昆发往军台效力；东台知县涂跃龙杖一百、徒三年；沈德潜革去礼部侍郎、尚书加衔及谥号"文悫"，御制祭葬碑仆倒，撤去乡贤祠牌位。

人血几升染红顶，马屁千秋有余音。仅仅这样还不足以说明刘墉官场附膻术的高明，刘墉在疯狂打压、屠杀言论自由、思想自由的同时，并没有忘记给皇帝上书，在徐述夔案结束后两个月，他向乾隆上奏，请求由他自己出银子刊刻乾隆的《御制新乐府》。皇帝龙颜大悦，果断下旨：事属可行。各省可自愿推广！

这隆隆的马屁声淹没了那些悲惨的呻吟，在清王朝专制的天空中回响不止。

郑板桥的屁股与孟德斯鸠的精子

啊，哈姆雷特，不要再说了！

你使我看进了我的灵魂深处，

看到了我灵魂中擦拭不掉的黑色污点。

——莎士比亚《哈姆雷特》

这是关于两位顶级大才子的故事，是关于两个不同民族的灵魂人物的故事，是讲述他们所处的不同世界，以及他们如何看待自己与世界的故事。

这两位大才子，一位生于 1689 年，一位生于 1693 年，仅仅只相差 4 年。他们如果在中国皇城相见，想来应该会称兄道弟。18 世纪上半叶，这两位顶级大才子都在书写他们的作品。他们给后世留下了许多著名作品，但其中各有一部是采用了书信体，只不过，年长的一位，使用的是虚构的人名，书信中到处都是精妙的讽刺，但基本上属于讽世的；而年轻的一位，创作是实名制书信，书信中也有不少幽默的地方，但基本上属于劝世的。

他们都是各自民族的文化精英和大师。

年轻的一位做了 12 年七品县令，在"诸公衮衮登台省"的国度里，"广文先生官独冷"的故事总是会一再发生。（广文先生是大诗人杜甫的好友，名郑虔，唐玄宗曾批示曰"诗书画三绝"。）他在才华上比之广文先生要"青出于蓝而胜于蓝"，曾自题"三绝诗书画，一官归去来。"他甚至破译了专制文化的密码，留下了一句"难得糊涂。"

流传至今，并且还有进一步的解释："聪明难，糊涂难，由聪明而转入糊涂更难。放一著，退一步，当下心安，非图后来福报也。"

年长一位做了十年波尔多法院院长，曾出入巴黎上流社会的沙龙，年轻时就已经成为法兰西学院的院士。他一生写下了多种题材的作品，《论法的精神》这部巨作令其闻名于世。作为一本研究政体的书，《论法的精神》充满了高尚和人性的法律哲学。

这两位大才子就是中国的郑板桥与法国的孟德斯鸠。

我当然也可以谈谈郑板桥的个性和职业生涯，谈谈郑板桥怎样戏弄腐化堕落的太守，谈谈郑板桥怎样评价前朝作家以及同时代作家，甚至，我可以谈谈郑板桥的善："试看世间会打算的，何曾打算得别人一点，直是算尽自家耳。""吾辈存心，须刻刻去薄存厚。""积德之报，屡试不爽。"这些都很有意思，在大的文化背景是专制独裁的情况下，在大清帝国已经大大落后于世界文明进程的时候，郑板桥的文章、书信在帝国沙尘暴的天空下，也不失为一滴甘霖。

但是谈这些没有趣味，因为一万个作家都可以谈到这些话题。而谈论郑板桥的屁股，不仅是我的独家发现，而且相当吸引眼球，有趣，想必素喜标新立异的郑板桥，见我，也会大呼："顶！"

郑板桥的屁股是怎么回事？

在他写给青豸山人的一封信中，郑板桥研究了帝国刑法与打屁股的关系。他说：

刑律中的打屁股，实属不通至极。人身上可以拷打的地方很多，何必非得打这个地方呢？假如遇到一位帅哥，细皮嫩肉，屁股雪白，要拿毛竹板子打，你忍心吗？那雪白的屁股，是全身最美最好的地方，我见犹怜，你就忍心下得了手？今天因为犯法的缘故，就让最美、最好、最可怜的地方，听任无情的毛竹板子打，焚琴煮鹤，岂

不很惨？目击这些而不动心怜悯的，是木头石头人啊。女人的两只乳房，男人的两瓣儿屁股，都是事物中最可爱的东西。人无故地犯法，但他的屁股没有犯法，执法者不问青红皂白，拿起毛竹板子就打。也不知当初制定刑律的人，为什么偏偏最恨屁股，东也不打，西也不打，偏拿这无辜的地方来撒气。屁股上要长嘴，自然要大叫冤枉。我从前在范县当县长时，有一美男犯赌博罪被抓，按律要打屁股——阁下曾经说犯法妇女要被扇大

郑板桥楷书册

嘴巴子，最为可怜。桃腮樱口，哪是受刑的地方？板桥说男人的屁股被打，尤其可惜。圣朝教化昌明，恩光普照，将来如果减轻刑罚和税收，能够将打屁股改为打后背，天下男子一定会烧香而祝贺啊！

这是 18 世纪中国的文化精英、政治精英，对于这个国家的刑法、文明以及帝国统治的看法。你不能说它没有文采，你甚至不能够说它没有智慧和缺乏幽默感，但是帝国的大环境究竟给了郑板桥多少想象的空间呢？

郑板桥对邪恶法律、残酷刑法的改革的想象力，到屁股为止。

我也想：或许，在郑板桥目击了打屁股的残酷后，回到自家后院，爱吾屁股以及人之屁股，抚此屁股思彼屁股，就常常觉得庆幸：幸亏我是喝令打屁股的，而不是屁股被打的。

在 18 世纪文网密布的中国，郑板桥先生除了给大家贡献了一个"难得糊涂"的智者微笑外，还向大家贡献了一个美丽而又狰狞的屁

股。这两个产品是极权专制下的必然产物，越是极权专制，难得糊涂的经就会念得越凶，"难得糊涂"本身也越会成为避祸的法宝。

就在大才子郑板桥先生思考屁股问题的时候，法兰西大才子孟德斯鸠的大脑也没闲着，他在勤奋地观察世界，批判和推动世界思潮的发展。

1721 年，孟德斯鸠 32 岁的时候，《波斯人信札》在法国境外出版，获得成功。但摄政王的左右和僧侣们对此书都愤愤然。

孟德斯鸠对东方一些帝国的批判是显而易见的，比如：

"奥斯曼帝国省长官的官职全靠金钱贿买，到各省时已经倾家荡产，于是像对待被征服的国家那样对治下的州县大肆掠夺……政府统治严酷，但罪犯却普遍可以逍遥法外。……土地的所有权没有保障……不管是契约证书还是产权，都因当权者的肆意妄为而成为一纸空文。"（《波斯人信札》第 19 封信）

"我们（波斯）的君主虽然拥有无限的权力，可如果对自己的性命安全不极其小心防范，那他们连一天也活不了；而如果他们不豢养无数军队去镇压人民，他们的江山连一个月也坐不牢。"（《波斯人信札》第 102 封信）

"英国人根本不认为恭顺服从是可以引以为荣的美德——如果一个君主，不让其臣民生活幸福，相反却压迫和摧残其臣民，那么臣民服从的基础便不存在。"（《波斯人信札》第 104 封信）

孟德斯鸠的思想猎枪悄悄地瞄准了世界各地的专制，也把批判的矛头对准了自己祖国堕落的思想和文化风俗。

"法国国王垂垂老矣。……他的一个大臣只有 18 岁，而他的一个情妇年已 80。……他喜欢打胜仗，喜欢战利品，但他害怕他的部队由好将领率领。……他给一个败逃 8 里的人一笔小小的年金，而把省长

的位置赏给另一个败逃 16 里的人。"(《波斯人信札》第 37 封信)

如果把孟德斯鸠空投到当时的东方帝国，仅仅这些"擅议朝政"的文字，就足以使他大卸八块，凌迟处死。更何况是对君主私生活和品格的冷嘲热讽，那是要掀起文字大狱的，是要株连九族的。

"对于一个冷眼旁观而又敏于思考的人，法国有着多么广阔的天地让他挑剔啊！我想象他对巴黎的描写，将这样开始——此间有一所房屋，用以收容疯人。起初我以为这是城中最大的一所疯人院。不然，杯水车薪，无济于事。毫无疑问，法国人成为邻邦的众矢之的，便把若干疯人关在一个大宅子中，以令人相信，宅外的人都不是疯子。"(《波斯人信札》第 78 封信)

孟德斯鸠

类似的精妙的讽刺在《波斯人信札》中比比皆是。

在大启蒙的时代，欧洲的思想家们用怀疑和批判的炮火，轰开了专制与愚昧的堡垒。

与郑板桥仅仅要求"换位挨打"不同，孟德斯鸠抨击一切通过告密或者拷问来获得证据的行为，呼吁取消所有的酷刑。

与郑板桥同时的中国诗人、作家，稍有叛逆精神的都已经被拿下，并且多被遗忘，像阎大镛、徐述夔，都已经被深深掩埋在极权专制的废墟下面。要想在极权专制下保持肉体和文名双重不坠，就必须进行肉体和灵魂的双重出卖。

同时，也请不要一味地指责时代和地理环境的局限，不仅仅是极权专制造就了郑板桥们，同时也是郑板桥们维护了极权专制；孟德斯鸠们生存的环境也并不自由，但孟德斯鸠们用他们的大脑和写作推动了自由。

1748 年，《论法的精神》在日内瓦出版，但未署作者姓名。孟德斯鸠对奈克夫人说了一句意味深长的话："创作一部伟大的作品，必须要有两件东西：一个父亲和一个母亲，即天才和自由……我的作品缺乏的是后者。"

孟德斯鸠是含蓄的。用凌沧洲的话说，就是要使一个伟大的思想受孕，必须有一个健全而充满活力的精子，一个健全而充满活力的卵子，才能碰撞出一个健全而充满活力的婴儿，否则，要么是不孕，要么是死胎、怪胎。

孟德斯鸠是幸运的，他的健全而充满活力的精子，在专制而无人道的祖国，寻找不到思想受孕的机会，但最终还是在瑞士日内瓦找到了出版的机会。

两位顶级大才子的故事，两个不同民族的灵魂人物的故事，昭

示了两个民族不同的命运。

　　而跨越帝国千百年黑暗的时空，那些独立而不屈的思想精灵必然不能在黑夜中睡去。

文史杂谈

乱世预言家的人文关怀

当罗马倒塌时，你会听到全世界自由的欢呼声。……

我对我们民族的过去有信心，对我们民族的未来也有信心。

——《宾虚传》

1597 年，离大明帝国亡国还有 47 年，离陕西大饥荒导致高迎祥的揭竿而起还有 30 年。

农历 5 月，大明朝廷的一位高官，也是一位作家——吕坤先生，准确地把握了官府贪污腐败、国家民怨沸腾、百姓无法生存、大乱即将来临的时代脉搏，写了一封情真意切的信，献给皇帝：

> 我私下以为，元旦以来，天气昏黄，日光黯淡，占卜者认为是乱世的征兆。现在天下的形势，已经出现混乱的迹象，还没有全面爆发。全国的民众，已经萌发祸乱的心，只是没人倡导而已。
>
> 现在天下苍生贫困的局面很清楚。自万历十年以来，没有一年无灾害，催收征税却依旧。我长期在京外做官，看见陛下的子民"冻骨无兼衣，饥肠不再食"，房屋没有遮蔽，连芽草房子也不完整；流民一天天增多，抛弃的土地也很多；"留者输去者之粮，生者承死者之役"。国君的门庭遥隔万里，谁能仰望申诉？而今国家的财富资源耗尽也很清楚。多年以来，建造寿宫耗费几百万两，织造耗资几百万两，宁夏

的变乱耗费几百万两，黄河的决堤又耗费几百万两，现在国家的大工程、采木费，又各耗费几百万两。土地没有扩展，百姓没有增多，没有天降大豆、地冒黄金的好事，怎么能应付这局面？现在国家的防御疏略也很清楚。三大营之兵是用来保卫京师的，马匹和人员一半都是老弱病残，九处边关的部队本来是抵抗外侮的，但都勇于要挟皇帝，怯于对敌作战。……假设有千骑横行，兵不足用，必选民丁。用怨愤的民众与怨愤的民众战斗，与谁联合作战？

人心是国家的命脉。现在的人心，只希望陛下凝聚收拢。（大意）

从人心开始说起，吕坤谈到不同阶层的百姓艰难困苦的凄惨景象，关中陇西的百姓、江南的百姓无不在忍受着敲骨吸髓之痛。

采木的民工、采矿的民工，其苦状和哀怨也不堪言。"入山一千人，出山五百人。"这些人正在拿生命和血汗为生存而挣扎。

太监们也开店掠夺民众，以压卵之威，行竭泽之计，难道还顾忌民众的困苦？

吕坤写道：法律是平衡天下的力量。我在朝中供职多年，每次看到诏狱一下达，主张公平的人大都有违皇帝的意愿，主张严惩的人都合乎皇上的心意。像往常陈恕、王正甄、常照等人的案件，我们官员欺骗上天，哄骗百姓，已经自己违背了法律条文，

吕坤《救命书》书影

而陛下还认为判轻了，全部施加处死的极刑。这样的法律又有什么作用呢？

吕坤不仅指出权力的合法性和巩固的基础来源于人心，即民众的拥护，而且还在信中写到开拓言路的重要性。

虽然这位16世纪末的帝国官吏没有言论自由的概念，但是这封上皇帝的书信，是那个黑暗时代为数不多的提倡开放言论的声音，这些声音在明代消亡、在清代近三百年的时间里就一直沉埋在地底。在信中，吕坤又说：

> 自古圣明的君主，难道乐意听诽谤的话语吗。然而务求言赏谏者，知天下存亡，就在于言路的畅通或堵塞上。近来驱逐罢官的人很多。皇宫紧闭，帝位威严，如果不广开言路，使信息流畅，怎么能让圣明的光辉照耀万里？现在陛下所听见的，都是大家所敢说的，大家不敢说的，陛下就听不到。一人孤立于万乘之上，举朝无犯颜逆耳之人，快在一时，忧贻他日。陛下诚释曹学程之系，还见亢悖等官，凡建言得罪者，悉分别召用，那么士大夫的心就凝聚起来了。（大意）

帝国朝廷的高官吕坤认为即使从皇权统治稳定的角度，也应该开启言论的大门。

这是汉民族在16世纪一丝穿透黑夜的人文光芒。四十七年后，清朝贵族如潮水般涌入中原和江南，用最残酷、最野蛮的文字狱阉割了被征服民族的文化精神，用"留发不留头、留头不留发"的命令从大脑袋上阉割了被征服民族的文化信仰。在凌沧洲先生看来，那是一个黑得像无底洞的时代。在那样的时代，言论成为恐惧的代名词，著书成了灭门的利器，而告密又成了扭曲一个民族的精神的

催化剂。经历了那样恐怖的年代，才会知道什么叫做专制极权达到光辉顶点。

吕坤在书信中，并没有为大明帝国粉饰太平，他接着写道：

> 全国贡献给朝廷的财物，营办既苦，转运尤艰。及入内库，率至朽烂，万姓脂膏，化为尘土。

> 自从抄家、没收的法律加重，受株连的人很多。被诬告藏私的，株连到亲戚和朋友。住宅一封而牲畜大半饿死，人一出则亲戚不敢藏留。加以官吏法严，兵丁严密搜索，年轻的女子，也被命令解开衣服。我曾经亲眼目睹，但我遮住眼睛，不忍再看下去，鼻子发酸。这难道尽是些罪行深重的人吗？一字相牵，百口难辩。奸人又乘机恐吓，挟取资财，不足不止。半年之内，扰遍京师，陛下您知道吗？希望能对抄家、没收财产的举动慎重，释放无辜的囚犯，那么京城的人心就凝聚了。（大意）

吕坤的这封信每一段都列举了大明帝国不和谐的社会现象，令人触目惊心，而每一段的结尾也几乎都是对创建和谐的建设性建议。令他心痛的是："诛求益广，敛万姓之怨于一言，结九重之仇于四海。今禁城之内，不乐有君。天下之民，不乐有生。怨言愁叹，难堪入听。陛下闻之，必有食不能咽，寝不能安者矣。臣老且衰，恐不得复见太平，吁天叩地，斋宿七日，敬献忧危之诚。惟陛下密行臣言，翻然若出圣心警悟者，则人心自悦，天意自回。苟不然者，陛下他日虽悔，将何及耶！"

然而，大明帝国的皇帝终于不能听取这样温和的改革建议，自私的人性不允许他那样做，僵化的体制不允许他那样做，正如黄仁宇在《万历十五年》中所说的："是制度一个总失败。"

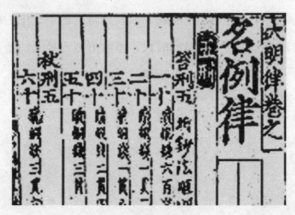

大明律

汉民族的文明在 16 世纪又迎来了一个山穷水尽。帝国的文化、风俗和体制资源无法孕育出更多的人文关怀、更多的言论自由、权力设计和利益分配。而此时，天灾人祸正在迅速逼近，干旱、蝗灾、饥荒、瘟疫，最后是流民暴动，怨愤的火山找到了一个爆发点。

而在帝国边境上，经历了元、明几百年的挤压，退缩到白山黑水的女真遗族，正焕发出新的生命活力，觊觎着大明帝国这垂老狮子的死亡。当帝国各地流民蜂起，闯王李自成耗尽了明帝国最后的元气时，清室贵族挥军南下，以区区几十万人征服了有上亿人口的汉族，以野蛮的屠城和迫害，摧毁了汉民族反抗的斗志，以其文化汪达尔主义的策略，加深了专制极权下的奴性。

在一个被野蛮征服的国度，只有意淫者才会阿 Q 式地认为是汉文化同化了清王朝，而看不到三百年来中华文化中优秀光辉灿烂的一面被劫持强奸的事实，看不到在大明王朝出现的一缕言路开放的微光又重新被掩埋在更深的黑夜中的事实。

我不能推断，从吕坤们渴望言路畅通、言论开放的思想火花中，从明末的士大夫的结社讲学中，能否导引出言论自由、思想自由的火光来，能否从他们的身上，引来中国的文艺复兴，走向中国的启

蒙时代；我能肯定的是，在清朝贵族的黑暗统治下，中国的启蒙时代大大推迟，这是一个万恶的时代，留给中国人最大的遗产是奴性和专制的一切恶德以及无边的恐惧。

从《决战帝国》到清王朝

他对人民了如指掌。
——奥登《暴君的墓志铭》

在巴黎的夜色中，杀人狂魔正悄悄出击。警探保罗已经发现了三具年轻女尸，死者均是土耳其人，死前均受尽折磨。保罗找到退休警探施赫尔帮忙。

一个在蛋糕店工作的少妇安娜，最近突然发现丈夫有点异样。在丈夫招待朋友的餐会上，她突然觉得丈夫和朋友的脸都血淋淋的，这是幻觉吗？她难受地冲了出去。安娜觉得自己病了，因为她总感觉丈夫换了脸。

安娜去看医生，并从医生那里知道高明的换脸术一般看不出来，只在耳后和头顶有一丝痕迹。黑夜里她检查丈夫，发现丈夫耳后并无疤痕。但是在一次洗澡的时候，她却发现自己耳后有一道疤痕。安娜恐惧至极，原来被换了脸的人竟然是自己！

恐惧的安娜选择了出逃，丈夫和他的同行们奋力追击——他们都是反恐武装工作部的人！安娜找到给她做换记忆手术的医生，逼迫他换回了自己原来的记忆。原来安娜根本不是蛋糕店的女员工，而是一个土耳其的非法移民，反恐武装部的人为了让她去卧底，给她换了脸和记忆。

找回记忆的安娜回忆起痛苦的童年和黑暗的生活，回忆起部落

头领对她的培养——为了把她培养成战士，居然让她丧失了生育能力。

在土耳其的山区，信奉豺狼图腾的恐怖分子的基地里，安娜手刃了恐怖头领，而警探保罗和施赫尔在最后时刻又击毙了劫持安娜的恐怖分子，挽救了安娜。

这是电影《决战帝国》的主要内容。看完后，不知怎的，我老想起历史中那些残暴的帝国，他们清洗民族记忆的手法，一点不比电影里来得差啊。

以清朝为例：

"所过州县地方，有能削发投顺，开城纳款，即与爵禄，世守富贵。如有抗拒不遵，大兵一到，玉石俱焚，尽行屠戮。"这是多尔衮代表清朝贵族发布的"屠城令"，然后就是血洗江南、岭南。……

"民贼相混，玉石难分。或屠全城，或屠男而留女。"这是 1649 年清王朝政府屠四川时张贴的公告。

吴嘉纪

明末吴嘉纪有一首诗《过兵行》，描写了扬州浩劫以后的惨状：

> 扬州城外遗民哭，遗民一半无手足。
>
> 贪延残息过十年，蔽寒始有数椽屋。
>
> 大兵忽说征南去，万马驰来如急雨。
>
> 东郊踏死可怜儿，西郊掳去如花女。
>
> 女泣母泣难相亲，城里城外皆飞尘。
>
> 鼓角声闻魂欲死，谁能去见管兵人。
>
> 令下养马二十日，官吏出过寒栗栗。
>
> 入即沸腾曾几时，十家已烧九家室。
>
> 一时草死木皆枯，骨肉与家今又无。
>
> 白发归来地上坐，夜深同羡有巢乌。

暴力建国之后，随之必定是谎言、换脸、洗脑、更换记忆。

《决战帝国》的神妙之处，就在于它也批判了反恐武装部以反恐的名义践踏人权、更换记忆的恐怖行为，这种行为不是恐怖分子干的，而是自诩文明的反恐武装部的科研项目。

而在心理层面，清王朝已经提前三百年做到了。

1647 年，广东和尚函可身携一本纪录抗清志士悲壮事迹的史稿《变记》，被南京城门的清兵查获，在严刑折磨一年后，流放沈阳。1648 年，又有毛重倬等坊刻制艺序案，毛重倬为坊刻制艺所写的序文不写"顺治"年号，被大学士刚林认为是"目无本朝"。清朝规定："自今闱中墨牍必经词臣造订，礼臣校阅，方许刊行，其余房社杂稿概行禁止。"从此，一个新的职业——言论检察官诞生了，"言论自由"由此大倒退。

据统计，在清王朝 268 年的统治里，发生了 160 余起文字狱，几乎一年半一次。这些文字狱主要就出现在现今被某些人吹嘘的所谓

"盛世"——我凌沧洲愚昧得很，不知道"盛世"的价值标准是什么？人多？地大？奴性深厚？还是以言论自由、财产权、科学发展作为盛世的重要指标？

清王朝是东方这块土地上最残暴的帝国之一，其文化统治之残酷、杀戮之凶残、流毒之深广，都是空前绝后的。为了进一步"引蛇出洞"，清朝皇帝弘历又安排下毒计，借"搜集古今群书"的冠冕堂皇的理由来查办禁书，要将一切"反清文字"作品的旧刻新编之作者、出版者、收藏者一网打尽。

禁书的名录长而又长，请恕我不在此罗列。书籍就是一个民族的"脑浆"，清王朝就是要抽出并销毁一些"脑浆"，再往这个被征服的民族的大脑中，浇灌另一些"脑浆"。弘历先生为什么是高产诗人？他知道这个被征服的民族用诗歌记录心灵，也用诗歌进行人际交往，他要用御制的新脑浆搅和搅和这个民族。不愁没有马屁大师啃臭脚，像而今电视剧中光鲜照人的刘墉，不是号称要自己出钱印制弘历先生的诗文，发给下面学习吗？纪大烟袋晓岚先生，其实也就是一唯唯惶恐之人，不仅不敢正面与大贪和先生斗，而且在拍皇帝的马屁上是很有一套的，写了多少献媚的诗歌先不论，其实弘历很是瞧不起纪晓岚的。

怎么能只依据清朝人编的《明史》就认定明朝就比清朝要黑暗，明代的皇帝就比清代的皇帝要混蛋呢？你是否看过庄廷鑨《明史》？1661～1663 年的庄廷鑨明史案是这样的，浙江湖州富户庄廷鑨双目皆盲，受到"左丘失明，厥有《国语》"的鼓励，出钱购买了明末人朱国祯一部未完成的《明史》，然后延揽名士，增润删节，补写崇祯朝和南明史实，改为己作，定名《明史辑略》。因所续诸传多有冒犯清朝开国之事，被落职知县吴知荣在敲诈未遂后举报京城，从顺

仙娥御题 闲轻比似壶中游賦半 柳青輸两髯螺未許人 千曲池風静鏡澄波線 識風景翠翘紅神蹴秋 輕歪漠漠烟宸是春闺 清明時節杏苍天嶂柳

乾隆隶书手迹

治十八年查至康熙二年，历时两年，重辟 70 余人，凌迟 18 人，已故的庄廷鑨，也被"戮其尸"。

这就是被吹成"千古一帝"的康熙的光辉政绩。

但是即使是在清朝治下编辑的《明史》，你也不难从中发现明代士人的风骨和独立精神是远胜于清朝文人的。今之人对比明、清，往往不对比其言论自由、财产权状况和士大夫、民众的精神状态，却对比其皇帝的功业。就这方面而言，明代一些皇帝可能比不上雍正、乾隆的敬业，然而这敬业正是其狠毒之所在。万历等许多皇帝不见朝臣，你也可以说他在消极怠工，也可以说他无为而治，而事实是明代的皇帝多半受文官集团的制约，不能为所欲为。

将正德皇帝和乾隆相比，受清王朝洗脑三百年的人们会认为正德屡下江南胡搞当然荒淫游侠；但是同样是下江南，乾隆的动静就更大了，以至有底层军官卢鲁生上书劝阻乾隆下江南，于是，乾隆下令将卢鲁生磔死，卢的两个儿子处斩，另外还有千余人因受到牵

连而下狱。正德皇帝可曾背负这样的血债？有网友深刻地嘲讽道："为什么大家都是出来嫖的，你是风流我就是下流呢？"这仅仅是嘲讽，但深层次的，正德最多是一花花公子，乾隆却是集体谋杀的凶手，而且杀人的手段可谓极其残暴野蛮。

而今一提明朝黑暗，即说明朝刘瑾、严嵩、魏忠贤把持过朝政，但是君不见更多的仁人志士起来上书反对这些奸党，这些士大夫身怀必死的勇气，如杨椒山、邹元标、杨涟……这些人是中华民族的脊梁，体现了人间正气；而在清王朝治下，有哪位大臣有古仁人之风，敢于抬棺向皇帝讽谏，指斥权奸？相比之下，哪个帝国更昏庸残暴？！

乾隆南巡图

在清王朝的天空下，汉民族萎化了，官员们不愿拿性命与贪官一搏。相反，这样残暴的帝国，能孕育出"多磕头、少说话"的升官秘诀，能孕育出"难得糊涂"的自我龟缩保护术。官场文化本来已经丰富，而至清王朝，尤为登峰造极。

这一切不能说不是洗脑和恐怖气氛所催生出的成就。

你可以想象一下，18世纪20年代，当你走过古城北京的通衢大道菜市口的时候，蓦然看到旗杆上悬挂的人头的情景，天空中阴云密布，群鸦乱飞，围着头颅啄食不去——那是文字狱中被砍头的汪景祺的人头。汪景祺尚且不是抵抗组织的文人，而是追随清王朝鹰犬年羹尧的幕僚。

这种恐怖的场景对这个国家的知识阶层肯定有着无比的震撼。"避席畏闻文字狱，著书只为稻粱谋"——当写作、思想沦落到混饭吃的田地时，汉民族的民气算是被摧毁了。

清王朝，一个肉体上消亡，精神上并没有死寂的帝国。清帝国所谓"明君贤臣"的颂歌还在荧屏上欢唱——这是清朝统治者们在三百年前不敢想象的盛况，他们给这个被征服的民族所做的"记忆替换"手术竟然如此成功！

谁堵塞了他们的喉管

我谛听永恒的哀怨之声，

在黑暗的阴影中不断滋生，

海浪撞击阴沉的暗礁，

母亲哭着死去的儿女。

——雨果

1875 年，四川东乡（今宣汉县）的农民因为不堪捐税的重负，聚众请愿，向官府提出清算粮账、减压减负的请求。知县孙定扬向上级报称民众聚众谋反。护督文格得报，严令官兵镇压，提督李有恒率官兵驰赴东乡，大开杀戒，死数百人。东乡民众含冤难告，推举代表进京告状申冤。御史吴镇等川籍京官得知惨案真相，联名参劾文格，清政府迫于舆论压力，将孙定扬、李有恒革职，文格也自请处分。

数百民众的冤死，换来的是对官员如此轻描淡写的处理，当然令人心不服。几年后，张之洞因为是四川学政的缘故，到东乡县一带按试，发现东乡童生都不按试题做文章，所书试卷，均为冤状。1879 年，张之洞开始向光绪皇帝上奏折，叙述惨案始末，指出聚众请愿的原因，以及不公正处理的后果。此案重审之后，清政府下令将孙定扬、李有恒处斩，将文格革职，其他人或充军，或革职、降职。

这个悲惨的故事得以流传到今天，一般的叙述方式必然着力于弘扬张之洞的人格魅力——敢于为民请愿，敢于上书言事；着力为冤案平反，而忽视了官民矛盾中官府道德上的黑暗。但是我们是否想过：这个故事的意义其实并不在张之洞为民请愿，上书言事上，而在于百姓的冤屈曾经无法表达，在号称有着几千年灿烂文明的古国，舆情竟然要通过写在考试卷上的方式来表达——这是何等屈辱和悲壮的告状方式，这是何等无奈的信息走私，这是何等豪气干云的义举。

我们可以想象：在一个视科举为进身之阶的癫狂社会，在一个动辄得咎的文字狱世界，如果不是童生们未泯灭的良心，如果不是那死去的父兄的冤魂和血泪历历犹在，谁能放弃考试的机会，又怎能有如此之多的人秉笔鸣冤？他们也是沉默的大多数，他们鸣冤所冒的风险比张之洞大人冒的风险大得多！

张之洞

在我看来，这个悲惨的故事在中华文明的言论史上，还应该有如下意义：我们的古国文明进化了几千年，到了清代可能在科举、在官场学、在马屁学、在考据学、在吃喝、在酷刑等方面已有灿烂的一面，但是在言论传播、信息传播等方面竟然是如此闭塞。如果说华表是早期人们言事的柱子，如果说传说中衙门外的鼓声可以上达官员，那么时至1875年，帝国的百姓要想申冤、控诉，要想让信息传递到管理者那里，竟然只能通过这样的方式！帝国统治下的百姓想象力何等枯萎，又是何等的奇葩异放啊！

进一步，我不由得要问：谁堵塞了他们的喉管，又是怎样堵塞了他们的喉管？！

首先是人。不仅仅是昏官、庸官、劣官、贪官要堵塞信息自由传播的途径，清官们也在不自觉地堵塞百姓们的喉管，因为在当时的文化和体制下，帝国的上上下下都觉得清官就是喉舌，那么老百姓还要什么说话的空间？有为民请愿的，但为民请愿，那是要杀头的。皇帝也必须堵塞信息传播的喉管，尽管他常常能看到下面的报告，但是那也只是选择性的情报。

其次是技术层面的因素。地理空间上的隔阂，印刷技术的落后，没有自由的出版业，使百姓的冤情和意愿根本得不到有效表达，皇帝要和老百姓同心，这不是骗人的鬼话是什么？至少也是自欺欺人，捏着鼻子哄眼睛。

最后才是风俗、体制和文化上的原因。如果这个文化是认同民众的个人权利和自由的，那么信息的自由传播也是题中之意；如果这个文化根本就缺乏这些元素，那么民众的喉管肯定要经常被堵塞，而"御用口条"会经常无耻地乱甩，以混淆视听，好替统治者们、盘剥者们、骗子们、屠夫们、凶手们行其瞒天过海之计。

而信息堵塞的代价是什么呢？虽然有一部分人能逍遥快活于一时，整个民族却在夕阳西下的泥潭中苦苦挣扎，天下太平的酱缸岁月苟延残喘几十年，终有一日风云突起，酱缸打破，骗局崩盘。

龙凤呈祥与黑帮演义

暴政开始时常常是缓慢而软弱的，
最后却是迅速而猛烈的；
他起初只伸出一只手来援助人，
后来却用无数只胳膊来压迫人。
——孟德斯鸠《论法的精神》

2005 年 4 月的某个晚上，我到长安大戏院看京剧《龙凤呈祥》，一是娱乐放松，二来也接受点传统文化的熏陶。

《龙凤呈祥》说的是三国时期刘备招亲的故事。孙权、周瑜为了干掉"大耳贼"刘备，安排下美人计，拿孙权的妹妹孙尚香作诱饵，导演出一场孙刘联姻的戏，将刘备骗来江东。刘备将计就计，先拜访国舅乔玄，广结统一战线，然后又取得太后的好感，让孙权的计划遇到障碍。当孙权的部将贾化极夸张地带着刀、剑、锤子登台后，喜剧效果很好，尤其是贾化还从靴子中抽出匕首时，场面更幽默滑稽……当然，刘备因为有太后罩着，贾化的行刺计划最终还是泡了汤。国舅乔玄更是对孙权有段著名的唱词：劝千岁杀字休出口。你杀刘备不要紧，他兄弟怎么能甘心，他二弟关云长如何如何，他三弟张翼德如何如何……（唱词大意）

刘备先生吃掉糖衣，吐出炮弹，与孙尚香成亲之后要逃回自己的地盘，周瑜派追兵捉拿刘备，孙刘两家的人马在戏台上掐起架来了……看到黑衣战士们的打斗，一个想法涌现在脑中：这些兵丁家

孙夫人

奴是为了什么而搏斗呢？这打斗怎么看着就像黑社会在火并？

在古代那个暴力和残忍的世界，无论打着什么忠君或维护正统的旗号，行"家天下"之私——像刘备就称自己是皇家后裔；无论是号称要维护秩序和稳定，像曹操所说的假若国家无主，正不知几人称王，几人称帝；还是割据一方，像孙权在江东经营独立王国，期间发生的战争都是"兴，百姓苦；亡，百姓苦"。

那个看京剧的夜晚转瞬即逝。有一些不眠的夜晚，我偶尔又想起了黑衣战士的打斗，他们为什么而奋斗呢？为了忠于王朝？为了忠于正义？他们为了自己的主子去江东搞了几把"N夜情"要狼狈逃回而战……说到底，还是为了他们自己的饭碗、自己的生存而战。

进而言之，如果我们非得把这些中华民族兄弟相残的内战，打扮得像正义与非正义之战，那么我就要你们拿出这三个国家的立国基础和立国理想来——他们中可曾有人说过一些为了民众的权利、生存、发展、自由和幸福的话，哪怕是冠冕堂皇的官样文章也行?! 他们中可曾有人做过一些为了民众的权利、生存、发展、自由和幸福的事?!

我们当然也不可能要求一千多年前的中国古人，有法国大革命时创作《人权宣言》的水平，要他们有美国人写《独立宣言》时的认识，他们的立国基础不可能是为了自由与人权。"一骑红尘妃子笑，无人知是荔枝来"说的是李隆基与杨玉环，"冲冠一怒为红颜"说的是吴三桂与陈圆圆，《龙凤呈祥》中这帮当兵的还不是为了刘备与孙尚香苦打……活着的人也许看的是喜剧，而战斗中死亡的人也许就是彻底的悲剧。事实上，三国演义无所谓正义与非正义，只是权力与利益的争夺。

东吴招亲

有时我会想起莱昂纳多主演的电影《纽约黑帮》，黑帮也是城市起源中的一部分，正如同暴力和血腥在哪块土地上都有一样。于是我想，给《三国演义》改个名字，叫《黑帮演义》。怎么样？一定很过瘾。本来就已经被小说家脸谱化和丑化的曹操先生一定没意见，

孙权先生在戏剧和小说中也已经是黑帮了，只是血统高贵而又道貌岸然的刘备先生，嘿嘿，说不定会派人来找麻烦。

为此，我创作了一副对联，上联是：龙凤呈祥，竟是黑帮演义；下联是：仁义满嘴，终归假面游戏。横批：家天下。

假如欧阳修生于清朝

奴役总是从梦寐状态开始的，
但是，一个无论在什么情况下都不能安息、时时刻刻都在思考，
并且时时感到痛楚的人民，是几乎不可能睡得着的。
——孟德斯鸠《论法的精神》

1724 年，雍正登基的第二年，依然大位未稳，他的一些皇弟、王公贵族、满汉官僚们依然拥有相当的势力，对这位新君正有点"且将冷眼观螃蟹，看他横行到几时"的味道，并且不排除党聚密谋的可能。

皇帝在这种暗流汹涌中，觉得有必要"该出手时就出手"了，于是舆论先行，这位政治家兼作家皇帝抛出了一篇《御制朋党论》，共印了八百多份，要求诸王、贝勒、大臣学习。这篇御制奇文的核心思想无非是"朕惟天尊地卑，而君臣之分定。为人臣者，义当惟知有君"。奇怪的是，皇帝在敲打当时的诸王、贝勒、大臣时，火力却指向了宋代的一位著名官员和作家："宋欧阳修朋党论创为邪说，曰：君子以同道为朋。夫罔上行私，安得为道？修之所谓道，亦小人之道耳……朋党之风至于流极而不可挽，实修阶之厉也。设修在今日而为此论，朕必诛之以正其惑世之罪。"

假如欧阳修生于清朝，雍正皇帝的杀人令已经发出，欧阳修的项上人头将不保，按照大清的风俗，欧阳修的家人也难逃被杀或者被流放为奴的悲惨命运，欧阳修的著作也将被焚毁，或者根本就得

不到出版的机会。在文网密织的专制恐怖中，不会有欧阳修式的写作，根本就再也出不了欧阳修。

实际上，人类的结朋或结盟根本就无法避免，演变得好，是一种宪政原则下的公开、公正、公平的政治；演变不好，当然是结党营私，骗子横行。

暂且不论这欧阳修的观点是否正确，先说说人类如何对付不同意见，尤其是当权者应该如何对付异议。人类的不宽容和残忍已经有 N 个世纪了，时光流逝到了 20 世纪 60 年代，在捷克，苏军入侵镇压了布拉格之春后，许多教授、作家和剧

欧阳修

作家都无法写作，有的沦为看门人，有的当了修理工。剧作家哈维尔也在啤酒厂滚啤酒桶，后来又被当局拿下大狱。90 年代后，铁窗归来的哈维尔当选为捷克总统，他的文化理念和政治理念是：如果当权者把不同意见看做是对他的挑战的话，只会为自己制造更多的敌人。在实践中，他要在高层尽力孕育一种宽容、透明的作风。

我们无法超越时代，要求一个 18 世纪的清朝皇帝兼作家，达到 20 世纪末捷克剧作家兼总统的思想高度。但是，在大清辫子戏电视剧、辫子小说阴魂不散的时候，在秦始皇被塑造成英雄好汉的时候，面对这些文化制作大师，总应该有一部分文化人，有起码的良知和历史判断：秦帝国、清帝国对待文化人的历史证明，它们都会是残

暴的、腐朽的帝国，与汉帝国、唐帝国尤其是宋帝国不可同日而语，尽管汉代也有阉割司马迁的事实，尽管唐代也有流放李白的事实，尽管宋代也有关押苏轼的事实，但那基本上是政治斗争的并发症，而不是统治者仇恨文化本身的结果。

当然，也应该看到，能在秦帝国、清帝国的"红肿之处"变出"桃花"来的文化大师们，是一些成功的现实主义者和获得暴利的商人，他们也有选择叙述历史方式的权利和理由。一个持文化宽容论的人，是应该尊重他们的这种权利的。

但是我估计欧阳修先生在内心深处一定很鄙视这些文化大师，因为文化和思想的权利受到了暴力的威胁，并且雍正的文章一定会使欧阳修肝儿颤。

幸好，像雍正这样的专制统治者还无法只手遮断所有的历史时空，否则，欧阳修们还活不活？欧阳修先生应该举手加额，庆幸他早生了七百年，否则，他到哪里去当他的醉翁，写他的《醉翁亭记》？我们到哪里去读他的《蝶恋花》："泪眼问花花不语，乱红飞过秋千去"？

空城计究竟谁是赢家

卧龙跃马终黄土，人事音书漫寂寥。
——杜甫

　　夏夜，我无法安睡。半梦半醒间，我又想起了《三国演义》中那位"智多近乎妖"的诸葛亮。当他设下埋伏，火烧张郃部队时，望着在痛苦中挣扎的魏军，诸葛亮摇着羽毛扇嘲讽说："我本想火烧一马（司马懿），不料烧一獐（张郃）而已！"

　　我想象另一种情节和场景，假如张郃设下埋伏，火烧诸葛亮的部队时，望着在痛苦中挣扎的蜀军，会不会也冷酷无情地嘲讽说："我本想活捉一猪（诸葛亮），不料而今改烧烤也！"在我看来，历史是一面镜子，照见了一个民族的前世今生。

　　听听这一段戏文："我本是卧龙岗散淡的人，评阴阳如反掌保定乾坤。先帝爷下南阳御驾三请，算定了汉家的业鼎足三分……闲无事在敌楼我亮一亮琴音，我面前缺少个知音的人。我正在城楼观山景，耳听得城外乱纷纷。旌旗招展空翻影，却原来是司马发来的兵……诸葛亮在敌楼把驾等，等候了司马到此谈谈心。西城的街道打扫净，预备着司马好屯兵。诸葛亮无有别的敬，早预备羊羔美酒犒赏你的三军。你到此就该把城进，为什么犹疑不定进退两难，为的是何情？左右琴童人两个，我是又无有埋伏又无有兵。你不要胡思乱想心不定，来，来，来，请上城来听我抚琴。"

这是空城计的唱词。把一个大智谋家的神采描写得绝了。

中国人都知道空城计，《三国演义》使得它家喻户晓。不管空城计是否是诸葛亮的发明，使用没使用过。在绝大多数人看来，这场诸葛亮对司马懿的斗智，司马懿都是输家，诸葛亮都是赢家。

然而我却不这么认为。空城计中谁是输家谁是赢家，究竟"猪"（诸葛亮）赢还是"马"（司马懿）赢，还得费商量。

我们假定诸葛亮是赢家，但司马懿也不是输家，至少是赢家，甚至是大赢家。

司马懿

这两个人都是智谋中的高手、高高手。但是，诸葛亮是人臣的智慧，司马懿是人主的智慧。用现代语言讲，诸葛亮的智慧是打工仔的智慧、职业经理人的智慧；司马懿是老板的智慧、股东的智慧。

诸葛亮在马谡失街亭之后被迫演出空城计，其胆识才情已经为人所知。但司马懿面对空城，犹豫不进，真的是胆怯吗？如果我们真以为司马懿是胆怯谨慎，那就太低估一个有雄心的将军的谋略了。

据史书记载，当年一开始时，司马懿并不愿意在曹操手下供职，但曹操威胁要砍他的头，没办法，才在曹老板手下开始了打工生涯。但司马懿就是了得，有才干，慢慢就掌控了军队，形成了自己的班底。

一个雄心逐渐膨胀、欲得天下的人，怎么会拿自己的性命冒险，闯进一座疑云密布的城池呢？

第一，"飞鸟尽，良弓藏；狡兔死，走狗烹；敌国灭，功臣死。"的悲剧故事，中华民族的古代史上已经上演得够多了。司马懿熟读兵书，不能从韩信的故事中吸取点教训吗？他已经赢得了战争的局部胜利，没有必要为赶尽杀绝而大冒险。

第二，比人主玩的"飞鸟尽，良弓藏"更绝的是，人臣在这场幸存者的游戏中，也会打一张牌，叫做"养寇自重"。你不是我一灭敌军你就灭我吗，我一帮你搞定业绩你就开人吗，我就把敌军养着，让他还半死不活，烦着你。当年袁世凯的北洋军已经攻下汉口，袁世凯就是不让部队继续前进，攻占武昌，彻底扑灭起义，他得拿着革命军还健在的牌向清政府要价呢！

请先不要做太多的先入为主的偏见式判断。我们不要一开始就认定司马懿就是道德上的坏人，天下是谁的？因为刘氏家族窃据得时间长点，就是汉家天下，余下想登基者皆贼？因为曹氏家族先窃取天下，而被司马懿家族搞得鸡犬不宁，司马懿就是贼？

在那个比智慧、比力量、比运气的年月，国王的天下是没有法则的，权力的获得也只能比力量。然而一旦力量稳定之后，舆论就需要人们做忠臣孝子。诸葛亮就被历代舆论炒作，因为他就是忠臣孝子的典范。刘备白帝城托孤，先把诸葛亮放在道德的炉火上烤着，说了段大意是"我儿子如果不行，天下你就自取"的话，诸葛亮哪有这个雄心壮志，他自己的人生已经定位好了。于是，我们看到尽管在军事上、在实际上，诸葛亮参与营造的蜀国的事业失败了，文化上必然要把他弄成赢家，不仅是道德的赢家，而且是军事战略的赢家。

然而历史又是极其真实的。谁笑到了最后？是司马家族。

我们无法苛求作家罗贯中先生，他的地缘环境、文化血脉、文化视野决定他跳不出忠奸贤愚的观念。他不可能像莎士比亚那样写到罗马人对自由的追求和思辨（见莎士比亚《裘力斯·凯撒》），也不可能像莎士比亚那样写到内战中争夺王权的人民的悲痛——兄弟相杀，父子相残（见莎士比亚《亨利六世》）……因为从中国民族历史的童年到清帝国，人们不知道共和国民选权的运作模式，只能靠着内战的打打杀杀来进行权力一统或权力更迭。当古罗马在公元前几百年就有高度的共和时；我们1911年才歪歪扭扭地走向共和……

有时，在夜深人静之际，凌沧洲先生会想起：在《空城计》这一兄弟相残的内战中，诸葛亮是赢家，司马懿也是赢家，那么究竟

谁是输家呢？……是那些可怜的权力争夺战中的"炮灰"——是百姓，是那些在没有民选权力的悲哀下挣扎的百姓，他们全都是血本无归的输家。

后　记

　　"他们在哪里？那些沉没在黑夜里的水手和船长？"
（雨果《海洋上的黑夜》）

　　他们在哪里？那些沉没在清王朝黑夜里的思想者和特立独行的勇士？

　　2006 年夏天，我在印度洋上马尔代夫的孤岛黑夜中，静听波涛撞击着沙滩，不时回忆起雨果的诗歌《夜听海涛》和《海洋上的黑夜》，回想起在清帝国文字狱中沉没的"水手"，可有人为他们写作一首纪念的诗歌？萧条异代不同时，谁，会在听潮的时候想到另一个人也曾听潮？谁，关心在黑夜的海洋中沉没的"水手"？

　　我已经在中国历史和世界历史的长河中浮沉了多时，西望希腊、罗马，北望长安、汴梁——"不恨古人吾不见，恨古人不见吾狂耳！"——恨古人不见我点灯熬油地打捞他们风骨和勇气的残骸——在重重夜雾弥漫的历史之河上的"冰河船夫"。

　　如果能重新发现我们文明中光辉灿烂的一面，正视其残暴、血腥、黑暗的一面，即使凌沧洲如《老人与海》中

的渔夫圣地亚哥一样，又有什么可后悔的呢？

写作该书，不仅是一种奉献与输出，也是一次吸纳与学习。在一次次触摸我们先辈的英雄灵魂时，感到自己的人格经受荡涤。

写作该书，不仅是一种宣泄，也是一次升华。在一次次对极权暴政的抽丝剥茧的分析、对专制屠夫伪善面具的剥落解剖中，感到历史、风俗、文化的凝重与悲情。

如果这本书能够引起你的共鸣，激起你的思考，甚至是批判，将是对"冰河船夫"凌沧洲的最大的肯定。

本书断断续续写作了近两年时间，写作的艰辛与喜悦不再多述。

感谢刘文远先生。他也是我上一部书的责任编辑，几年来一直与我切磋、探讨文化、历史等问题。我本无意在"史坑"中摸爬滚打，刘文远先生的鼓励功不可没。

感谢香港《领导者》杂志社社长周志兴先生。他不仅是一个传媒的领导者，而且是一位学者。本书部分章节曾在《领导者》杂志上发表，这与他的慧眼鉴识分不开。

感谢蒙令华先生，曾在杂志上编发《领袖们的西门庆综合征》、《刘墉的官场附膻术》。

感谢杨阳女士，曾在杂志上编发《盛世领袖的攻心术》、《罗马，长安，谁更光芒万丈》。

感谢《杂文选刊》杂志执行主编李君女士、《银行家》杂志主笔高续增先生等许多师友，他们也曾编发本书部分篇章。

感谢读书人文化艺术有限公司董事长汤小明先生、副总张顺平先生、编辑张轶女士，没有你们的赏识和运作，该书不可能这么迅速面世。

感谢当代中国出版社的领导和编辑先生。

感谢多年来一直帮助我的众多师友，虽然未能一一列名，但我的每一点进步都离不开你们的帮助。

感谢在网络上大力支持我的各位网友。

感谢正在阅读这本《罗马与长安——中国历史的谎言与真相》的读者。

如果对本书有任何批评、指教，请发电子邮件至我的个人邮箱：lingcangzhou@sohu.com。

凌沧洲

2006 年 11 月 12 日于北京